São Paulo

CB008788

FÓSFORO

RAQUEL ROLNIK

# São Paulo

## O planejamento da desigualdade

*Prefácio*
EMICIDA

*1ª reimpressão*

*Para minhas meninas Iara e Lia, que aprenderam desde o berço a compartilhar a mãe com a cidade*

# Prefácio

No ano de 1859 nascia o primeiro livro de fotografias da América Latina. Publicado pela Tipografia Nacional, *Brazil Pittoresco* era um álbum de autoria de dois exilados franceses, Jean-Victor Frond e Charles Ribeyrolles. A publicação reunia litografias (fantásticas) feitas a partir das fotos de Frond realizadas ao longo de suas incursões pelo império. Junto delas, em francês e português, vinham textos de Ribeyrolles, jornalista e político, amigo de Victor Hugo e, para alguns, uma influência do ainda jovem poeta Machado de Assis.

Dentre outras coisas — como o registro da derrubada de árvores e da diminuição de rios, demonstração de alguma sensibilidade com questões ambientais que no futuro ganhariam relevância maior ante a continuidade do descaso —, o livro é tido como propaganda da família imperial e material de incentivo à imigração europeia. Trazia imagens de D. Pedro II e sua família junto a livros e a um globo terrestre, sugerindo se tratar de um "monarca esclarecido", e muitas imagens da vida urbana dos lugares visitados pelos autores. Nesse ponto, cuidadosamente, Victor Frond excluiu a presença escrava de certos lugares, sobretudo as desumanidades impostas a essa parcela dos habitantes do Brasil daquele período. Ribeyrolles, por sua vez, afirma ao analisar a habitação dos escravizados: "nos cubículos dos negros, jamais vi uma flor: é que lá não existem nem esperanças, nem recordações".

Robert W. Slenes, professor do Departamento de História da Unicamp, erigiu uma obra monumental em resposta às observações do viajante francês. O livro *Na senzala, uma flor*, de 1999, observa a formação da família escrava a partir de tradições centro-africanas e como essas tradições fundamentam identidades e solidariedade, mesmo ante um cotidiano que impõe desgraças de toda ordem e a todo momento para esses seres humanos.

Ribeyrolles provavelmente se encantava mais com a rede do que com o mar. De maneira que não conseguiu perceber que o fogo presente na senzala era ele próprio, junto a outros signos que Slenes analisaria por um prisma original, indo da gastronomia à arquitetura, uma forma de manutenção das "esperanças e das recordações". Mano, "lar" vem do latim *lares*, que significa deus protetor da casa, domicílio ou simplesmente lareira segundo o dicionário *Oxford*. O *Houaiss* é mais taxativo ainda em sua definição: "local, na cozinha, onde se acende o fogo". Sendo assim, se nas culturas existentes nas terras africanas de onde aquele povo é oriundo, como entre os Ovimbundu, o fogo sempre aceso nas habitações era símbolo da continuidade da autoridade do Soba, o chefe político local, logo a fogueira em si era a própria flor, reluzindo pela pátria, pela mãe ou pela noiva. Ainda que imersos em banzo.

É o que meu amigo Rashid costuma chamar de ideias que rimam mais do que palavras.

Gosto de visitar essa análise de um mesmo ponto, por dois olhares tão distintos, pois mesmo em tempos diferentes, ela me faz pensar no direito à subjetividade. Quem merece um segundo olhar, digamos, mais cuidadoso? Nessa escala grotesca imposta pelo colonialismo, quem pode ser gente? E quem está amaldiçoado a ser só uma engrenagem? Engrenagem não tem lar, não precisa, engrenagem repousa num canto até chegar a hora de ser usada novamente.

Quando me mudei para o extremo norte da Zona Norte de São Paulo, o bairro Jardim Brasil Novo, que fica entre a serra da Cantareira e a rodovia Fernão Dias (aliás, mais uma das muitas contradições brasileiras, em que um invasor de terras e exterminador de nativos passa a dar nome ao chão onde os descendentes dos derrotados tentam sobreviver), era um lugar tão ao norte da cidade que meus colegas faziam piada dizendo que eu poderia me considerar morador da Zona Sul de Minas Gerais, tamanha a distância. Havia na região apenas seis casas. Todas elas de famílias pobres, vindas de alguma outra margem distante da mancha urbana produzida pela densidade populacional paulistana.

Pouco mais de um ano depois, já com mais algumas casas, fomos expulsos pelo poder público sem destino certo. Embora todos estivessem ainda pagando por seus terrenos, descobrimos que na verdade a empresa que apresentava o loteamento, com planta urbanística, lotes igualmente divididos, quadras amplas etc., na verdade não era proprietária do terreno. Estávamos no meio de uma maracutaia que misturava grilagem, roubo de terras e esquema de pirâmide, com todas as economias de uma vida comprometidas.

Vimos os tratores, escoltados pela polícia militar, derrubarem casa por casa, algumas ainda com móveis dentro, não tinha dado tempo de conseguir um carreto. Numa triste remontagem de "Saudosa maloca" e "Despejo na favela", canções doloridas de Adoniran Barbosa, assistimos a tantos sonhos da casa própria desmoronarem de uma única vez. Os pobres homens-engrenagem que operavam as máquinas, ou faziam a escolta delas, só repetiam o refrão do autor de "Trem das onze" ante o pranto e os gritos dos que ficaram até o fim para ver com os próprios olhos a desgraça que lhes abateu — é uma ordem superior.

Eduardo Galeano, já no início de seu clássico *As veias abertas da América Latina*, nos pergunta: como uma terra tão rica deixou os homens tão pobres? São Paulo, a terra das oportunidades, poderia reorganizar a indagação da seguinte maneira: como um lugar cheio de sonhadores pôde se transformar num pesadelo?

Um ano depois, os moradores entraram em contato uns com os outros e chegaram ao consenso de que precisavam resistir a tamanha injustiça. Decidiram sair das casas de parentes onde foram amontoados às pressas e ocupar o local pelo qual haviam pago com o dinheiro de toda uma vida. Agora, sem orçamento para casas de alvenaria, lajes etc., um mutirão conseguiu madeirites e telhas para todos, e centenas de barracos ocuparam aquela colina no pé da serra.

E assim o Jardim Brasil Novo se tornou idêntico ao velho Brasil.

Expulsão da terra, remoções, endividamento e trabalho forçado foram alguns dos métodos usados na América Latina, em especial no México, na Guatemala e no Peru, para forçar a população rural a se submeter às necessidades dos latifundiários ante os impasses que a questão do dito elemento servil, mais conhecida como escravatura, apresentava no século 19. O trabalhador nacional livre recusava-se a trabalhar regularmente nas fazendas, enquanto o pequeno produtor, que garantia seu pão de cada dia com a agricultura de subsistência, precisou ser convertido em mão de obra precarizada para que o processo de acúmulo da expansão capitalista fosse concluído com sucesso.

*

Ribeyrolles e Frond haviam abandonado a França a contragosto. Militantes republicanos derrotados, presenciaram a ascensão de Luís Bonaparte III, numa estratégia que reproduzia a mesma tomada de poder que seu tio Napoleão Bonaparte havia conseguido em 1799. Karl Marx, em sua crítica ao evento, partilha com o mundo o texto *O 18 de brumário de Luís Bonaparte*, em que, recorrendo a uma passagem de Hegel, conclui com a frase que se tornaria a mais famosa do texto: "a história se repete, a primeira vez como tragédia, a segunda como farsa".

Naquele momento pós-revolução de 1848, conhecido como "a primavera dos povos", era inconcebível para os republicanos e para os socialistas que a classe dominante aceitasse uma cópia mais tosca ainda do ditador de antes. Mas ela aceitou. Os valores democráticos eram um preço barato a se pagar, desde que a burguesia pudesse manter seu poder econômico intacto — e qualquer semelhança com o Brasil contemporâneo não é mera coincidência.

Continuamos dentro da farsa.

Nosso retorno ao "Brasil Novo", agora na condição de sem-teto como aqueles trabalhadores do século 19, tinha como característica o fato de todos construírem a própria casa simultaneamente. Essa era uma tradição dos mais antigos, algo honroso inclusive, mas naquele início de adolescência eu nunca tinha visto de dentro um bairro inteiro se levantar junto. Entrávamos na mata, guiados por meu padrasto, cortávamos embaúbas, descíamos com os troncos ocos nos ombros, sendo picados por formigas que habitavam o interior daquela espécie de árvore. Aqueles troncos se transformariam nas colunas das nossas moradias. Eram muitas idas e vindas carregando embaúbas, e ali aprendi um velho jongo criado pelos escravizados no Brasil, uma maravilhosa manifestação do conceito de formação socioespacial do grande Milton Santos, segundo o qual a realidade local responde à imposição da ordem alienígena com as possibilidades que tem a seu alcance. É a força da cultura através de uma vizinha que nos observava na labuta, uma velhinha mineira, que também integrava o grupo dos novos habitantes e cantava enquanto passávamos:

"Com tanto pau no mato,
embaúba é coroné."

A letra simples e a melodia convidativa ficaram gravadas em mim, mas apenas anos depois eu fui compreender a profundidade desse verso. A embaúba é uma árvore oca, por isso insetos a fazem de moradia. Esse fluxo interno do tronco, junto da seiva da planta, faz com que se desenvolva em seu interior uma espécie de gosma nojenta e leva muita gente a concluir que ela está apodrecida por dentro. É uma árvore alta, esguia, de folhas grandes. Os cativos entoavam esse jongo num claro afronte ao "coroné" que os tinha posto naquela situação desumana. O "coroné" era uma árvore vistosa, porém podre por dentro.

E era no meio daquela cantoria melancólica, da derrubada de árvores e do levantamento de barracos — que me fazia pensar na quilombagem, tão bem definida por Clóvis Moura —, que meu padrasto dizia a plenos pulmões: "arquitetura é uma grande frescura". Mesmo sem fazer ideia do que arquitetura significava. Para ele era "o luxo de pagar um almofadinha para dizer a cor das suas paredes", e num autoelogio constante ele repetia um pensamento do qual todos ali partilhavam: planejar, estudar, organizar, projetar o local onde se vai morar, para nós, não passava de uma grande frescura, um mimo, algo com o que não se sonhava, por que quem sonha é gente e a cidade na qual vivíamos já havia nos convencido de que éramos só engrenagens.

A formação dos barracos era idêntica: quarto/cozinha/banheiro sem porta, apenas com uma cortina protegendo o lugar, ou então quarto e cozinha, com um banheiro externo. A pouca matéria-prima disponível limitava as possibilidades de ir muito além disso. Os barracos eram quadrados ou retângulos na parte mais alta dos terrenos, com escadas esculpidas na terra vermelha que levavam até a rua. Famílias com três ou quatro filhos, sem direito a nenhuma privacidade ou individualidade dentro de suas casas. Sem poder estudar sem ser incomodado, ver TV sem incomodar, ou fazer amor sem ser ouvido. Energia elétrica falhando, equipamentos comprados a prestação pifando ante essa oscilação, falta de água constante, chegando suja muitas vezes e, para complementar, o assédio das forças policiais que representam o tentáculo mais violento da aporofobia brasileira, convertendo-se numa verdadeira máquina de insegurança pública, especializada em moer pobre. Foram as primeiras vezes em que vi ônibus inteiros sendo parados por viaturas e todos os homens serem colocados para fora e revistados, deitados na calçada com a roupa do trabalho, tendo suas marmitas jogadas no chão. A primeira vez que tive um revólver apontado para meu rosto foi por demorar a me deitar no chão numa dessas abordagens.

Então eu entendi a perspectiva do meu padrasto e dos seus camaradas. Como é que fala de arquitetura ali, mano? Que o desenho famoso do Leonardo da Vinci é uma interpretação do homem de Vitrúvio tratando da relação do homem com o universo? Isso é pra quem é considerado gente.

E nesse sentido, não só nossa cidade, como a nossa sociedade, falhou.

E se essa preocupação individual com como se ocupa um determinado lugar era um melindre, um direito que para nós era um privilégio, a cidade na tradição brasileira acaba por não ser muita coisa além de um amontoado de coisas privadas. Não deveria ser, mas infelizmente é.

Não preciso falar dos desabamentos, incêndios, telhados levados por ventanias, dificuldade de locomoção intrabairro sobretudo em emergências, que são consequência direta do modo-avião constante que faz parte da vida de uma pessoa-engrenagem. Como diria Jan Gehl, nós moldamos as cidades e elas nos moldam.

O modelo de desenvolvimento adotado pela cidade de São Paulo ao longo de sua história é surdo. Quer prova maior disso do que o primeiro nome da ocupação desse território ser vila de São Paulo dos Campos de Piratininga?

Piratininga é topônimo indígena que indica peixe a secar, após a cheia do rio. Ou seja, é um lugar onde a água sobe e, ao retornar a seu leito, deixa peixes secando espalhados pelas margens. Se os primeiros habitantes da região, os povos indígenas tupiniquins, guaianases, maromomis etc., a batizaram com o nome do fenômeno, como, quase quinhentos anos depois, a cidade se permite ser surpreendida todo ano com enchentes? E pior, como coexistem alagamentos e crise hídrica? Milhares de prédios abandonados e milhares de famílias sem um teto?

A indiferença da lógica eurocêntrica, arbitrando no "mundo novo", acabou por funcionar como uma maldição que torna a cidade uma produtora de contradições em escala industrial, corroendo inclusive o seu grande potencial. Simplesmente rezamos para um deus que não fala a nossa língua. O planalto, sugestão dos indígenas, ocupado inicialmente por propiciar boa visualização do horizonte e garantir, entre outras coisas, a capacidade de se defender de ataques externos, foi completamente sequestrado junto de seus arredores pela especulação imobiliária, que é claramente "horizontefóbica". Com seu fetiche por verticalização, ela reduz esse pedaço de terra, e toda ocupação humana dele, a um efeito colateral da ganância, ontem dos ibéricos atrás do rio da Prata, hoje dos acionistas em nome da perversidade neoliberal, que nos levou novamente ao mapa da fome.

A pergunta de um milhão de dólares é: tem solução?

Como diz minha amiga Margareth Valentim lá do Quintal dos Prettos na Zona Leste, quem tem apenas uma opção na verdade não tem nenhuma. Logo, é dever dos que aqui estão fazer funcionar para as pessoas, ou pelo menos tentar. Assim como a linguagem de sinais oferece um código que comunica aos deficientes auditivos informações de seu interesse, precisamos refundar essa aldeia e elaborar uma espécie de libras urbanística, que tenha a capacidade de reorientar nossa rota e tornar possível um pacto humanístico sem precedentes nesse lugar. O labirinto nos tornou engrenagens, reivindicar o direito de sermos gente todos nós é também libertar o labirinto de sua tragédia e transformá-lo em cidade. Até que possamos nos encontrar na frase de Fernando Pessoa: "extraviamo-nos a tal ponto que devemos estar no bom caminho".

Afinal, é impossível ir de "feliz cabanazinha" a monstruoso gigante de concreto sem abrir também possibilidades positivas. São Paulo é mais kafkiana do que o próprio Kafka. Em que outro lugar do mundo uma pessoa acordaria metamorfoseada em um monstro horrendo e ficaria preocupada em como vai chegar ao trabalho a tempo? Por outro lado, também foi aqui que o poeta Mário de Andrade ousou retirar o espinho da carne do apóstolo que dá nome à cidade, libertando-o de seu martírio milenar e dando à luz a *Pauliceia desvairada*. Carolina Maria de Jesus conheceu o quarto de despejo e também a casa de alvenaria por aqui, um lugar que gerou sentimentos conflitantes em Caetano Veloso, mas que, ao final de sua composição "Sampa", ele chama de "possível novo quilombo de Zumbi" (e eu concordo).

O concreto é sem dúvidas um grande símbolo da cidade, mas a vida com sua teimosia e pujança também é. E deve muito aos povos africanos e ameríndios, que aqui foram oprimidos e, debaixo dessa opressão, desenvolveram tecnologias sociais complexas para que a vida se tornasse possível. Seu campo gravitacional conseguiu atrair para dentro de si e para seus arredores toda sorte de habitantes, criando uma babilônia tropical que não encontra paralelos no planeta. Sua muralha natural, a serra do Mar, assim como seus edifícios posteriormente fariam, impõe um desafio a quem se prostra diante dela. Como qualquer barreira, ela nos obriga a tomar uma decisão, avançar ou desistir, não há espaço para a indiferença, tal qual a esfinge de Tebas (que também foi nome de um arquiteto de São Paulo), a vida se encerra ou recomeça a partir de seu encontro. Decifra-me ou te devoro.

Seu (nosso) desafio no século 21 é retribuir o assustador crescimento dos últimos 150 anos propiciando vida digna para todos que ousaram vir sonhar sob sua garoa, sempre lembrando que quem não estuda o passado está condenado a reproduzi-lo.

Quando recebi o convite para prefaciar o livro *São Paulo — O planejamento da desigualdade* da professora Raquel Rolnik, fiquei antes de mais nada lisonjeado, honrado de verdade e pensando no tamanho da responsabilidade que seria tal colaboração. Embora eu seja paulistano, sou da borda da cidade, minha relação com São Paulo, sobretudo a minha relação de afeto, foi construída ao longo de anos, em especial dos últimos vinte, quando alguma mobilidade social se tornou possível em minha vida e pude conhecer algo que está fora da programação original de uma pessoa-engrenagem. Sigo desde então num esforço teimoso que reafirma constantemente dentro de si e também para fora que a cidade é para todos, precisa ser, caso contrário o medo a fará não ser de ninguém. É uma utopia, que na verdade só é utopia devido à falta de vontade política presente em diversas gestões indiferentes ao drama dos que nasceram ou escolheram Sampa pra viver. Acredito que nos encontramos, Raquel e eu, nesse desejo de ajudar a pensar (e também a construir) esse espaço público coletivo e saudável. Não é fácil, mas, como ela ilustra maravilhosamente bem nas páginas seguintes, nosso constrangedor abismo social e o gargalo no qual nos encontramos foram escolhas, assim como construir um futuro melhor também vai precisar ser.

EMICIDA
*dezembro de 2021*

# Introdução

Quem dela se aproxima é impactado imediatamente por seu tamanho: quilômetros de ruas e avenidas, bordeadas por construções, vias iluminadas, blocos de edifícios, casas e galpões, aqui e ali áreas gigantes circundadas por muros altos, onde se instalam protótipos de cidades sob o controle privado ou condomínios de dezenas de prédios iguais. O movimento de pessoas e objetos que circulam 24 horas por dia é onipresente, gerando fluxos reais e virtuais sobre sua geografia construída.

A serra da Cantareira, com seu pico do Jaraguá, é um dos poucos testemunhos contemporâneos do sítio original: São Paulo de vales, colinas e várzeas irrigados por centenas de rios, nascentes e córregos à beira de um planalto coberto pela Mata Atlântica e pela umidade que vem da serra do Mar. Em 2054, quando a cidade estiver completando quinhentos anos, essa paisagem terá sido transformada sucessivas vezes.

Seu ponto mais alto — o espigão da avenida Paulista — foi escolhido como moradia pelos barões do café e capitães da indústria nascente na São Paulo do início do século 20. Meio século depois, nos anos 1970, sobre ela se instalaram as torres envidraçadas do chamado "milagre econômico", conferindo ao espigão uma altura ainda maior. Finalmente, a emissão eletrônica de sinais constrói, sobre essas torres elevadas, antenas iluminadas anunciando uma nova transformação. Hoje esse espigão é o cenário preferencial de manifestações políticas, marchas e protestos. A Paulista, como é chamada pelos habitantes de São Paulo, é hoje um dos pontos de confluência de territórios da cidade: ali se encontram e se enfrentam tribos, seitas, partidos. Por ser um dos articuladores do sistema de transportes metropolitano, com estações de enlace entre diferentes linhas do metrô que levam aos trens da CPTM, a avenida é povoada por multidões, que tomam as calçadas nos dias de semana e aos domingos, quando, desde 2016, o evento Paulista Aberta impede a circulação de carros.

Do alto da avenida se descortinam os dois grandes vales da cidade, nas antigas várzeas dos rios Tietê e Pinheiros, que, assim como centenas de córregos antigamente espalhados em meandros, se transformaram em canais de esgoto espremidos entre vias expressas ou cobertos por avenidas onde circulam carros, caminhões, motos e ônibus. Em alguns lugares da cidade, pequenas matas ciliares protegem um córrego destampado. São parques desenhados por paisagistas, encravados em áreas mais consolidadas, ou, ao contrário, áreas que se desenvolveram sem projeto imobiliário e foram "autourbanizadas", nas quais os artefatos da infraestrutura urbana — vias, asfalto, calçadas, postes de iluminação — ainda não chegaram e não se sabe ao certo se um dia chegarão. São as frentes de expansão dos territórios populares.

Frentes de expansão de outras geografias ocupam antigos bairros industriais, acompanhando a várzea do rio Pinheiros: são torres inteligentes, brilhando em aço e vidro, oferecendo helipontos, segurança e serviços 24 horas. Às vezes refletem a paisagem agressiva dos veículos e um rio malcheiroso, mas também as quaresmeiras, sibipirunas e fícus que teimam em criar raízes, rasgando o asfalto e invadindo com seus galhos o caótico emaranhado de fios de eletricidade, internet, TV a cabo, que, através de provedores corporativos ou de "gatonet", conecta a cidade.

Com mais de 20 milhões de habitantes, a Região Metropolitana de São Paulo (RMSP) é hoje uma das cidades-mundo do planeta. Isso significa que circulam por ela não apenas os que vivem em seus limites físicos — 900 quilômetros quadrados de área urbanizada, em 39 municípios —, mas também habitantes de outros cantos do país, do continente, do mundo. Centro de produção, distribuição, gestão e logística de uma rede de empresas e corporações que atuam em esferas regionais e globais, São Paulo é um imenso mercado, turbinado pelo número de pessoas que abarca: moradores, visitantes físicos ou alcançados por suas redes digitais.

O tamanho da cidade e a vastidão dos espaços por ela alcançados englobam uma heterogeneidade de territórios: são os circuitos, redes e tribos que a habitam. É uma cidade de mil povos, capital financeira, cidade conectada no mundo virtual e real das trocas globais, potência econômica do país, berço de movimentos sociais, culturais e de lideranças políticas. No entanto, é uma cidade partida, cravada por muros visíveis e invisíveis que a esgarçam em guetos e fortalezas.

Estar em São Paulo é estar permanentemente exposto a sua imagem contraditória de opulência e miséria — carroças e carros blindados, mansões e barracos, shopping centers e barracas de camelô, *food trucks* e ambulantes. Cidade fragmentada, que aparenta não ser fruto da ordem, mas sim filha do caos, da competição mais selvagem e desgovernada de projetos individuais de sobrevivência e ascensão, do sonho de gerações sucessivas de migrantes e imigrantes que vieram em busca de refúgio e oportunidades e da potência da grande cidade.

Hoje, o futuro da megacidade parece incerto: sobreviverá ao congestionamento, às consequências da pandemia e à poluição? Aos alagamentos e à crise hídrica? Reaparecerão os empregos perdidos, vão se regenerar os rios, matas e a umidade da serra? Voltará a reinar a paz nas ruas? E aonde vão viver os paulistanos? Vão se multiplicar os barracos improvisados nas ruas? Haverá serviços públicos de qualidade para todos? Os espaços públicos sobreviverão? Triunfarão os espaços comuns?

Para tentar imaginar uma resposta possível a essas questões, é preciso entender como se chegou a esse ponto, reconhecendo que a cidade que temos hoje é produto de milhões de ações individuais e coletivas das gerações que nela investiram seus projetos de vida e que, longe de ser caótico, esse processo foi diretamente influenciado por opções de política urbana, tomadas em períodos fundamentais de sua história. Às políticas urbanas que marcaram as sucessivas transformações da cidade corresponderam também conflitos, controvérsias, movimentos e insurgências de seus cidadãos.

É sobre esses momentos e sobre os temas, questões e movimentos envolvidos nesses conflitos e decisões que vamos nos debruçar nas próximas páginas. O objetivo é mostrar que a aparente nau desgovernada corresponde na verdade a territórios marcados por sucessivos projetos de cidade e métodos de gestão urbana implementados para administrar um lugar que, em cem anos (entre 1854 e 1954, data de seu quarto centenário), passou de 30 mil para mais de 2,5 milhões de habitantes, chegando a 10 milhões (20 milhões, se considerarmos a população da Grande São Paulo) nos cinquenta anos seguintes, o que o fez transformar-se na principal metrópole de um país marcado por uma concentração histórica de renda e poder.

Este livro traz uma versão revista, ampliada e atualizada do livro *São Paulo*, da coleção Folha Explica, publicado pela primeira vez em 2001. Trata-se de uma história urbanística da cidade, que se inicia com a implantação da vila no século 16 em território tupiniquim e avança até 2021, segundo ano da pandemia de coronavírus que assolou a cidade e o planeta. Em cada um dos capítulos, abordo um momento decisivo dessa história, em que temas, questões ou políticas emergiram, marcando para sempre o tecido sociopolítico espacial da cidade.

O período que vai da vila bandeirante à construção da cidade cosmopolita, impulsionada pela máquina da cafeicultura e do Partido Republicano Paulista (PRP), é tratado no primeiro capítulo, "Da aldeia de Piratininga à cidade do café". O segundo acompanha "A crise dos anos 1920" e a emergência de um novo pacto político-territorial nos anos 1930, pacto que conforma o processo de urbanização da cidade até os dias de hoje. O terceiro capítulo, "São Paulo metrópole", reconstrói a lógica política — e urbanística — da metropolização, abordando o momento em que a cidade se solta dos trilhos, espalhando-se em periferias precárias. Nos seguintes, "São Paulo na virada do milênio" e "A cidade confinada", focalizo a desconstituição da cidade industrial, a emergência do urbanismo dos enclaves fortificados, com a multiplicação de shopping centers e condomínios fechados, assim como a formação de um novo polo corporativo-financeiro às margens do rio Pinheiros. O percurso se completa com "Crise e mudança na São Paulo da pandemia eletrônica", que aborda as mudanças no mundo do trabalho, no consumo e na vida na cidade. Como numa vertigem, tais mudanças se aceleraram com o advento de uma pandemia que, até novembro de 2021, já tinha matado mais de 40 mil pessoas na cidade de São Paulo e 615 mil no Brasil. Esse momento levanta perguntas sobre passado e futuro que procuraremos abordar aqui.

Escrevi o livro pensando em traduzir os dilemas do urbanismo paulistano para o leigo, a pessoa não especialista, a estudante, a curiosa. É um texto para conhecer a história e entender o presente, mas sobretudo é um manifesto que acredita que, se decisões de política urbana nos trouxeram até aqui, guinadas em outras direções são sempre possíveis. Está nas mãos dos residentes dessa cidade construir tais horizontes utópicos, definindo mais uma camada de sua história.

## Da aldeia de Piratininga à cidade do café

A vila de São Paulo foi assim denominada em 1554 por padres jesuítas no local onde havia se estabelecido um pouco antes a aldeia de Piratininga. Esta foi fruto da iniciativa de portugueses estabelecidos em São Vicente, no litoral, que subiram a escarpa densamente recoberta pela Mata Atlântica — a serra do Mar. Foram indígenas tupiniquins que apresentaram aos portugueses a trilha que chegava ao planalto. Nos campos de Piratininga, estes fundaram um colégio sobre uma de suas colinas, de onde se vislumbrava o vasto panorama da várzea do rio Tamanduateí, afluente do Tietê, cujas cabeceiras se situam no caminho do mar.

Até meados do século 19 a cidade não tinha grande importância para a economia do país, centrada na produção do açúcar no Nordeste (desde a chegada dos portugueses em 1500 até o século 17) e na exploração de ouro, diamante e cultivo do café no eixo Rio de Janeiro-Minas Gerais (do século 18 até meados do século 19). Cidade entreposto comercial, da troca da subsistência miúda do cinturão caipira, tinha menos de 9 mil habitantes em 1836 e 30 mil em 1873. Entretanto, foi da vila de São Paulo que, desde o século 17, partiram "entradas e bandeiras", expedições de exploração do território com o objetivo de escravizar indígenas, tomar posse de terras e procurar minérios.

São Paulo bandeirante: desde sua fundação a marca da cidade é a fronteira aberta, por onde entram os forasteiros do país e do mundo e de onde se parte para ocupar territórios, transformar paisagens e extrair riquezas.

Até o início do século 19, São Paulo era predominantemente habitada por portugueses, indígenas, e seus descendentes, e a língua mais falada na cidade era o tupi-guarani. A posição econômica da vila se transformou totalmente com a expansão do cultivo de café na então província de São Paulo. Introduzida inicialmente no vale do Paraíba, por volta de 1850, a cafeicultura começou a ocupar o Oeste Paulista. Nesse período, com as pressões internas e externas pelo fim da escravidão, a região importava toda a mão de obra escravizada disponível no país, de tal forma que, em 1870, dos 32 mil habitantes de São Paulo, um terço era negro. Eram escravizados domésticos ou de ganho, cujo trabalho era "alugado" pelo senhor para outrem por horas ou dias, forros ou libertos, carregadores, lavadeiras e trabalhadores nos ofícios que moviam o mundo laboral e marcavam a paisagem das ruas na vila.

Naquele momento a fome de braços para a expansão das lavouras de café era confrontada pelas pressões de dentro — o movimento abolicionista — e de fora — a quase extinção da atividade mercantil do tráfico de escravos —, de forma que a questão dos braços para a lavoura (e não o destino dos libertos!) se transformaria em tema central da agenda política econômica do país, que só seria resolvida com os fluxos imigratórios — inicialmente subsidiados pelo governo e depois espontâneos — de centenas de milhares de europeus, sobretudo do sul do continente (Itália, Espanha e Portugal), para trabalhar nas fazendas do interior da província.

## São Paulo em 1890

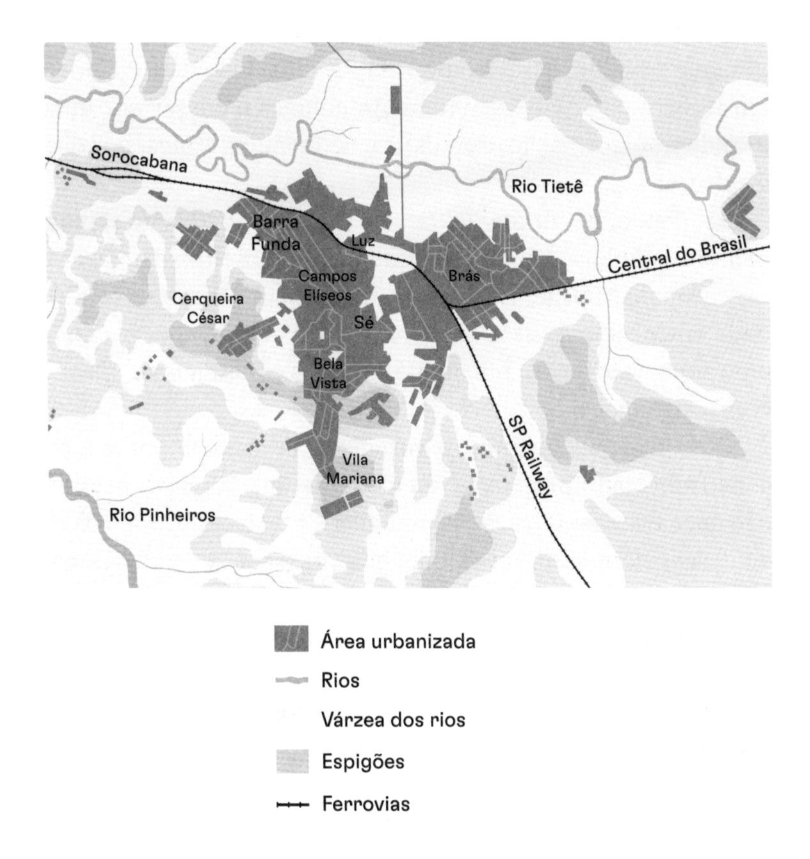


A cultura cafeeira — e sobretudo os capitais excedentes por ela gerados — transformaram totalmente a cidade. Por ser o primeiro ponto no planalto a partir do porto de Santos, São Paulo estabelecia a conexão entre as regiões produtoras, o porto e o Rio de Janeiro, capital do país. Assim, a partir de 1867, ano em que foi implantada a primeira estrada de ferro na cidade interligando Santos e Jundiaí, seus vales foram sendo atravessados por ferrovias. Entroncamento ferroviário e sede de uma província em franca expansão econômica no momento da Abolição da escravidão em 1888, da transição ao regime de trabalho assalariado e da Proclamação da República em 1889, a cidade nesse momento começa a passar por uma grande transformação urbanística, econômica, étnica, política e cultural.

São Paulo, na virada do século, foi uma cidade que rapidamente acumulava capitais, atraindo um intenso fluxo imigratório europeu. Mais de 1,7 milhão de europeus passaram pela cidade entre 1890 e 1920, e em 1900 São Paulo já contava com uma população de 240 mil habitantes, dos quais mais de 150 mil eram estrangeiros.

O embranquecimento e a europeização passam então a se constituir como projeto de uma cidade que desejava ocultar não apenas a escravização de indígenas e negros que foi a base de desenvolvimento, mas também a presença de seus descendentes, homens e mulheres livres e pobres: negros, indígenas, caipiras, que constituíam o mundo popular na São Paulo colonial. Reiterava-se o racismo através da constituição de uma hierarquia social baseada em cor, religião e referência cultural, sustentada desumanização de indígenas e negros construída pela escravidão

O imaginário da cidade branca, espelhada na experiência urbana europeia — e posteriormente estadunidense, como veremos —, resiste mesmo diante da realidade das levas sucessivas de imigrantes asiáticos (japoneses a partir dos anos 1920 e posteriormente chineses e coreanos), do Oriente Médio (Líbano e Síria em diferentes levas), latino-americanos (sobretudo bolivianos) e africanos (a mais nova onda imigratória) que se sucederam ao longo dos séculos 20 e 21, além da enorme presença de mineiros e nordestinos, pardos e pretos que afluíram para a cidade a partir dos anos 1940, e das presenças indígena e negra de diferentes matizes.

A europeização como sinônimo de modernização se inscreve de forma nítida no espaço urbano: no Centro Histórico, a colina original estruturada em torno de igrejas e ordens coloniais — do Carmo, São Francisco, São Bento e seus largos — sofreu uma primeira grande reforma urbanística no vale do Anhangabaú, com a implantação de um projeto do engenheiro francês Joseph-Antoine Bouvard, encarregado de obras públicas de Paris. Foram construídos o Teatro Municipal e sua esplanada sobre o vale e o viaduto do Chá. Houve também o alargamento de ruas e vielas coloniais, configurando a "cidade do triângulo" (delimitada pelas ruas São Bento, Direita e Quinze de Novembro) e o princípio da ocupação do chamado Centro Novo (região em torno da praça da República), com bulevares, jardins públicos, cafés, lojas elegantes e equipamentos culturais, expressão da mudança radical da identidade proposta para a cidade por sua nova elite dirigente, composta pelos latifundiários do café e suas famílias, mas também por comerciantes e industriais que enriqueceram com o crescimento da cidade.

A construção dessa paisagem francesa implicou demolições, despejos e remoções em massa de moradias populares que ocupavam o centro da cidade com sobrados, oficinas e quartos de aluguel.

O Centro era local de moradia e trabalho, inclusive de escravizados, negros libertos e brancos pobres. A periferia era o cinturão caipira abrigando também chácaras ricas. As ruas e praças do Centro misturavam grupos sociais e atividades; a negra com seu tabuleiro de doces e salgados, os ofícios exercidos em portinholas e nas ruas. No entanto, os limites e fronteiras entre esses diferentes grupos estavam claramente definidos, já que as marcas da diferença entre senhores e escravizados, visíveis na cor da pele, prescindem de signos espaciais.

A grande transformação que ocorreu na cidade do café foi, sem dúvida, a configuração de uma segregação espacial mais delineada: territórios específicos e separados para cada atividade e cada grupo social. Isso se deu por meio da constituição dos bairros proletários e dos loteamentos burgueses, da ação discriminatória dos investimentos públicos e da regulação urbanística, que ajudou a construir e perpetuar as diferenças.

Naquele momento de intensos fluxos imigratórios, a cidade viveu seu primeiro surto industrial, baseado sobretudo nas indústrias têxteis e alimentícias, que ocuparam as várzeas por onde passavam as ferrovias, constituindo as primeiras grandes regiões operárias de São Paulo: as orlas ferroviárias no Leste, Oeste e Sudeste. Nesses bairros — Lapa, Bom Retiro, Brás, Pari, Belém, Mooca, Ipiranga — formaram-se também as primeiras colônias de imigrantes. Casas coletivas e pensões, vilas e sobrados de aluguel abrigavam os recém-chegados e ofereciam oportunidades de renda para aqueles que já haviam acumulado pequenos capitais. Entremeavam-se ainda armazéns, lojas, oficinas e fábricas. No mesmo período, e seguindo os mesmos eixos ferroviários, tinha início a primeira ocupação do ABC Paulista, a sudeste do município, e da região de Osasco, a oeste.

Esse momento correspondeu também ao primeiro grande surto de "urbanidade" na cidade, quando foram implantados os serviços de água encanada, o transporte por bondes elétricos, a iluminação pública e a pavimentação das vias. A política de implantação desses "melhoramentos" desde logo foi distinta em cada um dos espaços da cidade.

Nos bairros populares, a paisagem misturava as chaminés de fábrica à alta densidade populacional das vilas e cortiços, e a infraestrutura urbana se resumia praticamente ao bonde.

É nesse momento que se constrói um dos primeiros fundamentos da ordem urbanística que governa a cidade, presente em alguma medida até nossos dias: uma região central investida pelo urbanismo, destinada apenas às elites, contraposta a um espaço fora desse centro, onde as regras urbanísticas e edilícias não são a única referência, onde se misturam o mundo do trabalho e o da moradia dos pobres.

Nos bairros populares, a paisagem é feita de lotes superocupados horizontalmente, formando becos e vilas, entremeados por galpões industriais, ocupando as várzeas pantanosas e inundáveis no entorno das ferrovias. Exiguidade de espaços privados, profusão de áreas semipúblicas densamente ocupadas: corredores, ruas internas e pátios. Geralmente, há barro nas ruas, esgoto a céu aberto e bonde na via principal. O bairro dos ricos é aquele cujas mansões circundadas por jardins se fecham em muros, exibindo sua imponência nas avenidas largas e iluminadas, amplos espaços para uma seleta e íntima vida social.

Em 1879, um suíço, Frederico Glete, e um alemão, Victor Nothmann, compram uma chácara e abrem ali um loteamento de ruas espaçosas, alamedas arborizadas e grandes terrenos. Assim nascia o bairro dos Campos Elíseos: um Champs-Élysées paulistano, que definiria o modelo de bairro aristocrático, exclusivamente residencial e de alta renda. Em 1890, é a vez do recém-aberto bairro de Higienópolis concentrar os palacetes mais elegantes. Em seguida, a avenida Paulista, inaugurada em 1891, dá início a uma nova frente de ocupação da cidade, no alto de seu espigão.

Afastada do núcleo urbanizado, a avenida Paulista contava com rede de água e esgoto, iluminação e piso macadamizado com pedregulhos brancos antes de ser ocupada. Em 1894, Joaquim Eugênio de Lima, incorporador da Paulista, conseguiu aprovar uma lei na Câmara Municipal exclusivamente para a avenida, obrigando as futuras construções a obedecer a um afastamento de dez metros em relação à rua, bem como dois metros de cada lado, a serem ocupados por, de acordo com a lei, "jardins e arvoredos". Dessa forma, por meio de leis que definem um modo de construir que corresponde clara e exclusivamente a um segmento social, garantiu-se ao longo da história da cidade que os espaços com melhor qualidade urbanística fossem destinados a esses grupos, apesar da imensa pressão representada permanentemente pelo crescimento populacional das massas imigrantes.

Nesse episódio se esboça o fundamento de uma geografia social da cidade, da qual até hoje não se conseguiu escapar. O setor sudoeste, que se constituiu a partir do percurso Campos Elíseos-Higienópolis-Paulista e depois se completaria, até os anos 1950, com os loteamentos da Companhia City nos Jardins e outras localidades, configura uma centralidade da elite paulistana, o espaço que historicamente concentra os valores imobiliários mais altos, o comércio elegante, as mansões e apartamentos mais opulentos, o consumo cultural da moda e o maior volume de investimentos públicos. Na Primeira República (1889-1930), a imagem dessa topografia social é feita de colinas secas, arejadas e iluminadas, de palacetes que olham para as baixadas úmidas e pantanosas, onde se aglomera a pobreza.

Os serviços públicos de transporte urbano sobre trilhos (o bonde), de energia e de telefonia eram controlados por uma única concessionária — a empresa de capital misto anglo-canadense The São Paulo Tramway, Light and Power Co. Esse monopólio simultâneo dos serviços mais essenciais — que duraria até os anos 1930 — dotou a companhia de um grande poder de abrir frentes de expansão imobiliária, uma vez que podia decidir onde e como seria instalada essa infraestrutura. Associando-se a empreendedores imobiliários no loteamento dessas áreas, a Light se beneficiava duplamente, participando tanto do negócio da prestação dos serviços quanto da valorização imobiliária decorrente da sua implantação.

Em 1909, quando deveria ser renovado o contrato da Light com a prefeitura, o então prefeito Antônio Prado, resistindo ao assédio da companhia, emitiu um parecer contrário à prorrogação. Essa decisão foi festejada como uma vitória pela população, descontente com as tarifas altas e a péssima qualidade do serviço da empresa. No entanto, a Comissão de Justiça da Câmara derrubou o parecer do prefeito, reafirmando o monopólio. Explodiu, então, um motim popular que ocupou o Centro aos gritos de "Abaixo a Light! Abaixo o monopólio! Viva Antônio Prado!". Apesar da revolta, as condições contratuais foram mantidas e a Light continuou ditando as regras de indexação dos preços de terrenos, gerando eixos de expansão e definindo, a partir de critérios de mercado, quem deveria ser beneficiado e quem seria excluído da provisão de infraestruturas, em uma cidade cuja demanda por urbanização se expandia em ritmo acelerado.

Na Primeira República, as decisões políticas sobre a gestão municipal tinham como interlocutores apenas a elite paulistana, diminuta parcela da população que votava para eleger a Câmara Municipal e, a partir de 1911, o prefeito da cidade. De acordo com as regras da Constituição, só votavam os homens, brasileiros, maiores de 21 anos e alfabetizados, e o voto não era secreto. Em uma cidade onde a maior parte da população era de estrangeiros e/ou analfabetos, a voz das maiorias contava muito pouco no jogo eleitoral. O que caracterizava a relação entre eleitores e governantes não era assim, propriamente, a representação de grupos de interesse, já que, dados a restrição do número de eleitores, o voto aberto e a seletividade econômica e social, os únicos segmentos efetivamente representados pertenciam a um grupo seleto.

Pertencer a essa elite era participar de um círculo restrito de grandes proprietários rurais, negociantes enriquecidos e banqueiros, aos quais se somavam profissionais liberais — sobretudo advogados, médicos e engenheiros —, ligados a eles por vínculos familiares ou de trabalho. O voto popular, quando existia, era mediado por uma relação hierárquica baseada em laços de obediência, lealdade e proteção. Assim, não tinha necessariamente uma conexão com demandas populares. A participação popular nas eleições era atravessada não por direitos, mas por redes de relacionamentos pessoais, das quais se poderiam obter favores e oportunidades.

Eram eleitos, diplomados e reconhecidos os candidatos que as comissões executivas dos partidos houvessem indicado em seus boletins. No dia das eleições, seções eleitorais inteiras poderiam não funcionar, os livros e as atas ficavam nas mãos de juízes ligados ao grupo que dirigia a política municipal. Mortos e ausentes às vezes "votavam". Com esses procedimentos se garantia a então chamada "degola" de eleitos indesejados. As eleições eram o cumprimento de uma formalidade com a qual se mantinha a ilusão de se estar seguindo a Constituição. Prescindiam de um debate sobre as questões da cidade, do estado ou do país e giravam em torno de figuras políticas — ou melhor, de figurões e seus círculos.

Ao mesmo tempo que conformam os territórios da riqueza, a concentração de investimentos em "melhoramentos" e a legislação também definem aqueles lugares onde deverá se instalar a pobreza. O movimento da cidade, desde seu nascimento, é centrífugo, ou seja, delimita as bordas da zona urbana ou mesmo a zona rural como locais destinados aos mais pobres. Diga-se de passagem, a lógica de destinar as lonjuras para os pobres atravessou, incólume, o século 20, adentrando o século 21. Começa com a proibição da instalação de cortiços na zona central, definida pelos códigos de posturas e sanitários a partir de 1886, que também permitem que vilas operárias "higiênicas" sejam construídas fora da aglomeração urbana. E continua com a delimitação do chamado perímetro urbano, demarcação de áreas que deveriam obrigatoriamente receber serviços de infraestrutura, excluindo bairros operários já inteiramente habitados na época, como Vila Prudente, Tatuapé ou Canindé.

Dessa maneira, demarcava-se uma área "regulada" da cidade, onde a habitação popular — na época, o cortiço e outras formas de moradia de aluguel — não poderia acontecer, ao mesmo tempo que se configurava, fora do perímetro urbano, uma zona de obscuridade sobre a qual o olhar do poder municipal não vigorava.

Na lógica da cidade dos trilhos, a malha das linhas de bonde e as estações de trem definiam os limites de uma urbanização densa e concentrada. Assim, até o final dos anos 1920, apesar de desigual e dividida, a cidade mantinha ainda algumas relações básicas com sua geografia natural e possuía uma malha urbana relativamente contínua e compacta, servida por transporte público na maior parte de sua extensão. Os grandes rios — Tietê, Anhangabaú, Tamanduateí e Pinheiros — começam a sofrer intervenções de retificação, por meio da construção de canais retilíneos, perdem suas curvas e meandros e têm suas várzeas ocupadas. É o início, a cada janeiro chuvoso, das inevitáveis inundações provocadas pelas cheias dos rios, que invadem as várzeas que lhes foram roubadas.

Esse modelo liberal e privatista, e toda a construção de relações políticas que lhe correspondia, entra em crise na segunda década do século 20, vítima da voracidade de sua criatura: uma cidade que em 1920 chega aos 600 mil habitantes, densa e concentrada como um barril de pólvora prestes a explodir.

# São Paulo: área urbanizada e rede de bondes em 1915

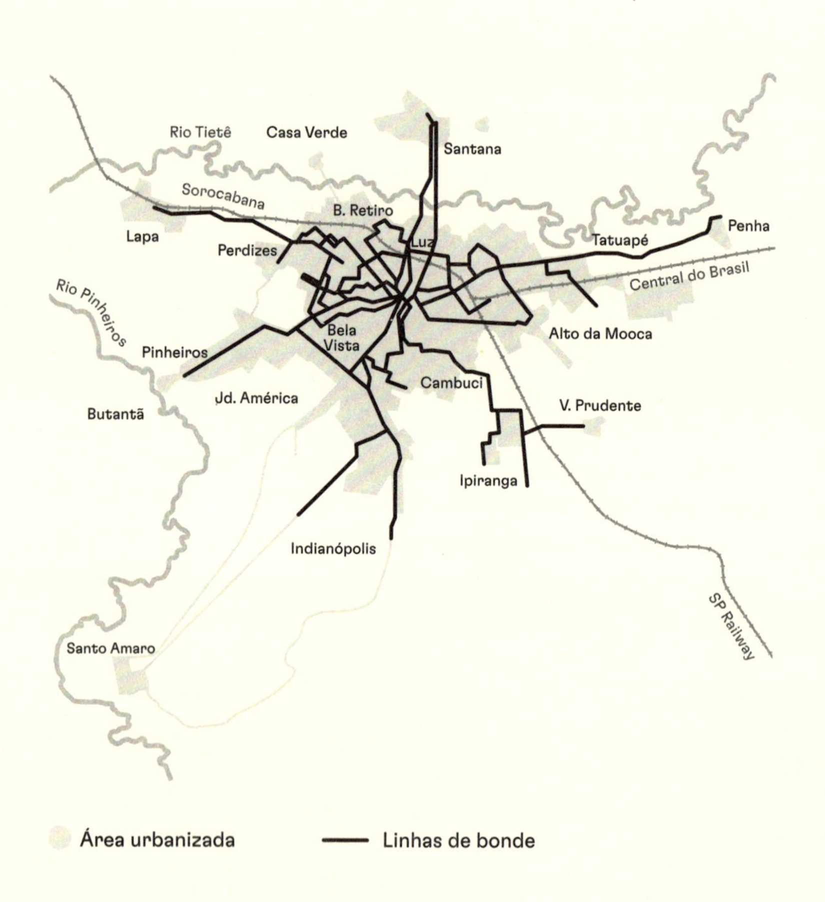

# São Paulo: área urbanizada e rede de bondes em 1929

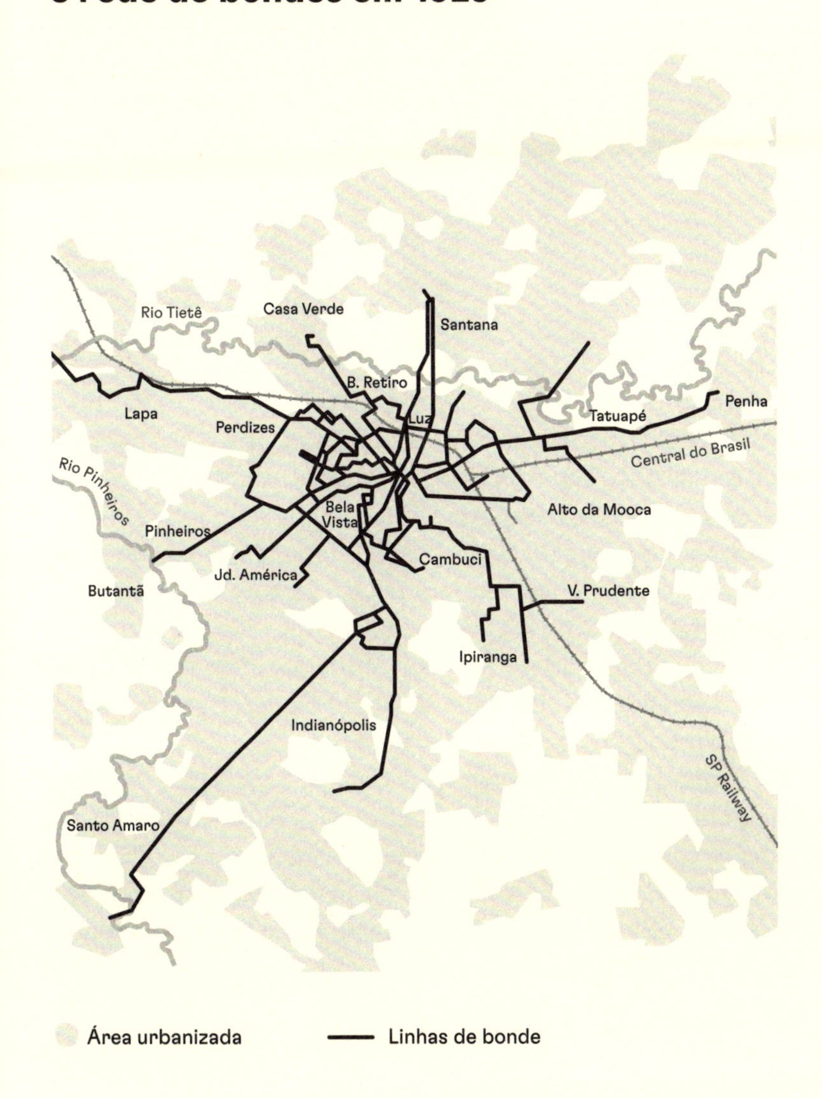

## A crise dos anos 1920

A cidade nos anos 1920 vivia um momento especial: durante as décadas de expansão da cultura cafeeira na província (e depois no estado), São Paulo foi o maior ponto de atração de capitais e pessoas de todo o país. Com isso, nos anos 1930, ultrapassaria a marca de 1 milhão de habitantes, tornando-se uma das metrópoles cosmopolitas da América, ao lado do Rio de Janeiro (a capital), Nova York, Chicago, Filadélfia e Buenos Aires. É a partir dos anos 1920 que São Paulo entra nos circuitos culturais internacionais, alinhando-se ao sopro modernista que impactava a produção cultural do Velho Mundo.

A disseminação da prática de esportes, a chegada dos cinemas, dos automóveis e aviões, além das turnês de grandes artistas, conferiram um ritmo radicalmente novo a São Paulo. A imagem futurista que sintetiza essa nova paisagem é o zepelim sobrevoando em 1928 o edifício Martinelli, o primeiro arranha-céu de uma metrópole cujos edifícios até então não passavam de onze pavimentos.

Por ter sido a capital da oligarquia do café durante a Primeira República, São Paulo abrigava a representação do poder econômico e provia o governo federal de presidentes e ministros.

Seu papel era, portanto, fundamental na definição dos rumos políticos do país.

No contexto da Primeira Guerra Mundial, em virtude do colapso das linhas de comércio internacional, São Paulo assistira a um grande surto de crescimento industrial, iniciando o processo de substituição de importações, voltado para a produção nacional de bens de consumo para o mercado interno, assim como para a exportação de gêneros alimentícios. Essa industrialização em larga escala e a disponibilização de capitais excedentes dela decorrentes significaram, além do aparecimento de um proletariado urbano, um intenso crescimento demográfico e aumento da demanda por terrenos e habitações, responsáveis por uma carestia geral, que multiplicava os preços dos gêneros alimentícios, vestuário e aluguéis, configurando uma disparada inflacionária. Ao mesmo tempo, a expansão das atividades econômicas na cidade constituía a possibilidade de formação de novas fortunas, não diretamente dependentes da produção e exportação do café.

Por um lado, a guerra encarecia os produtos importados — boa parte dos insumos para a construção — e, por outro, a política monetária e fiscal destinada a proteger os preços e lucros do café provocava uma espiral inflacionária. Ao findar a segunda década do século 20, o quadro na cidade era de escassez, especulação e inflação.

Emergia pela primeira vez um movimento sindical no meio operário, fortemente inspirado no anarquismo, que dominava os círculos operários da Itália e da Espanha no período. Em 1917, ocorria na cidade uma grande greve geral, impulsionada pelas tensões da questão social e da carestia urbana. Uma vasta rede de associações livres (culturais, esportivas, escolares e sindicais), fomentadas pelos anarquistas no interior dos bairros populares, teve papel fundamental na ampliação da base desse movimento, ao incorporar questões para além do mundo do trabalho, como o valor dos aluguéis e o preço e a qualidade dos produtos de primeira necessidade. Assim, tensões presentes na cidade emergiam no campo sindical e penetravam rápida e fortemente nos bairros operários.

Sobreveio ainda a epidemia de gripe espanhola, que em 1918-19 matou milhares de paulistanos, aumentando a aflição e o descontentamento na capital. Nesse contexto, acirrava-se todo tipo de tensão e conflito.

Na cidade em expansão se constituía também um novo grupo social: a classe média urbana. Esse grupo, formado sobretudo por pequenos comerciantes, construtores, senhorios de cortiços e vilas, funcionários públicos mais graduados e proprietários de microindústrias caseiras e familiares, também não tinha voz na política paulistana e era diretamente atingido pelas flutuações da economia do país. O destino dos territórios populares interessava tanto à liderança sindicalista quanto à pequena burguesia proprietária, que compartilhava com os operários o espaço das vilas e casas de aluguel. A aliança entre os dois grupos será fundamental para determinar o grau de radicalidade da Revolução de 1930 em São Paulo, no bojo da grande transformação política que ocorreu no país.

A conjuntura 1926-30, que correspondeu à administração do prefeito José Pires do Rio, vai marcar a transição do modelo político e territorial liberal da Primeira República para um governo intervencionista, com fortíssimo acento nacionalista, que dialogava com os operários, mas também com as classes médias urbanas.

Do ponto de vista da política urbana, o advento e o rápido aumento do número de automóveis, o surgimento dos primeiros ônibus e a pressão por novas oportunidades de moradia nos anos 1920 acabam por entornar o caldo do urbanismo da Primeira República, inaugurando a era das grandes obras viárias, da ampliação da intervenção do governo na provisão dos serviços e da emergência da expansão periférica como estratégia de acomodação das demandas por moradia popular.

Enquanto a cidade se adensava e expandia, a partir de 1920 o investimento na ampliação da rede viária e no aumento do número de bondes foi deixando de ser prioritário para a Light. O crescimento espetacular da indústria paulistana ampliava o mercado consumidor de energia elétrica, justificando o ousado projeto da Light and Power de construção da usina Henry Borden, que aproveitaria a queda natural da escarpa da serra do Mar para gerar energia. Durante toda a década de 1920, o projeto prioritário da Light foi voltado à obtenção da concessão do rio Pinheiros, afluente do Tietê, a fim de reverter seu curso e alimentar, no alto da serra, uma grande represa artificial — a Billings —, capaz de gerar a massa de água necessária para acionar as turbinas. Ao controlar o fluxo do Tietê por meio das estações elevatórias de Traição e Pedreira, a Light obteria a água necessária para alimentar o curso invertido do rio Pinheiros, mantendo seus reservatórios do sistema hidrelétrico em nível máximo.

Dessa forma, a companhia deixou de investir na melhoria e na expansão do sistema de bondes. A não ampliação da oferta de transporte, até então monopólio da Light, agravou as condições de vida e acirrou a tensão nos bairros populares, até que, em 1924, entraram em cena os primeiros ônibus, clandestinos, na maioria montados sobre chassis de caminhões Ford. Dada sua versatilidade, o serviço não regulamentado de ônibus logo se transformou em sério competidor para os bondes (qualquer semelhança com as vans clandestinas na São Paulo dos anos 1990 não é mera coincidência). A Light julgava que os ônibus agravavam uma situação já por si desfavorável para a companhia, em virtude do congelamento das tarifas por contrato — apesar da inflação — e do aumento dos custos causado pelos congestionamentos, que esticavam a duração média das viagens de bonde.

Levando em conta todos esses fatores, a Light propôs renovar seu contrato com o governo da cidade, investindo na implantação de um metrô na região central, articulado com uma rede expandida de bondes de superfície com calhas exclusivas, e na criação de um sistema integrado bonde-ônibus que incorporaria os quase duzentos ônibus clandestinos em circulação na cidade. Como contrapartida, a empresa exigia para si o monopólio do serviço de transporte por ônibus, além do aumento das tarifas e da continuação e ampliação da concessão para toda a rede de metrô-bonde.

A discussão pública sobre a proposta da Light aumentou a temperatura política na cidade. O Partido Democrático (PD) — força emergente de oposição ao Partido Republicano Paulista (PRP), que havia dominado a cena política por mais de duas décadas — se opôs à proposta, apresentando argumentos de defesa do papel do Estado na regulação dos serviços públicos e exigindo o estabelecimento de um critério público e transparente para os cálculos das tarifas. No entanto, a oposição à proposta da Light foi agravada pela ocorrência de uma grande enchente em 1929, atribuída por muitos à atuação da própria companhia, que controlava o fluxo dos rios.

Dada a condição vulnerável da várzea e do sistema de estações elevatórias e de reservatórios da Light, sempre mantidos em um nível máximo, qualquer chuva de verão mais intensa resultava em enchentes. Desde 1919 já aconteciam inundações consideráveis, principalmente na confluência dos rios Tietê e Tamanduateí, na Zona Leste e Sudeste da cidade, áreas ocupadas por assentamentos populares. No entanto, a enchente de 1929 assumiu novas proporções. Durante os anos 1920, vastas extensões da várzea — como a Vila Maria Baixa e parte da Vila

Guilherme, nas margens do Tietê, bem como a Vila Independência e a Vila Carioca, na várzea do Tamanduateí — haviam sido ocupadas. Além disso, naquele ano, pela primeira vez, a enchente atingiu propriedades "nobres", como a Cidade Jardim, área pertencente à Companhia City, às margens do rio Pinheiros. Em 1929, o movimento de expansão da capital em direção ao sudoeste já passara para o outro lado do rio, chegando ao Butantã e ao Morumbi. Os danos causados pela enchente foram agravados pela severa crise econômica que se instalou com a quebra da bolsa de valores de Nova York, no mesmo ano.

A situação da Light era politicamente delicada, e a possibilidade de um consenso sobre sua proposta parecia impossível. Além do mais, uma contraproposta argumentava que a execução do projeto da empresa inviabilizaria a implantação do Plano de Avenidas de Francisco Prestes Maia, com seu sistema de vias que formaria uma grelha radial perimetral. O governo municipal finalmente decidiu não renovar o contrato com a Light, implementando o projeto de Prestes Maia e iniciando a construção da avenida Nove de Julho, uma das vias radiais propostas no plano.

A concepção urbanística de Prestes Maia, engenheiro de obras da prefeitura em 1924, se opunha a qualquer obstáculo físico para a expansão urbana ou a qualquer definição a priori de um limite para o crescimento da cidade. Essa posição era totalmente compatível com a percepção de que a alta densidade populacional dos bairros populares, assim como as demandas não satisfeitas por moradia, contribuíam para elevar o grau de explosividade dos nascentes movimentos sociais e sindicais. O uso de ônibus a diesel tornaria os bairros da periferia acessíveis. Ao contrário dos bondes e trens, cujo raio de influência era limitado pela distância entre estações, o serviço de ônibus, combinado com o modelo de expansão horizontal, trazia a solução para a crise de moradia: a autoconstrução das casas populares em loteamentos dispersos e sem infraestrutura na periferia. O modelo das casas autoconstruídas na periferia evitava a desvalorização das regiões centrais, pressionada por densidades habitacionais cada vez mais altas, ao mesmo tempo que retirava o peso do pagamento do aluguel do custo de vida dos trabalhadores.

Dessa forma, configura-se na cidade a opção pelo modelo rodoviarista do transporte sobre pneus. A implantação efetiva das avenidas propostas por Prestes Maia só ocorre em 1938 quando este assume a prefeitura, na qual permaneceu até 1945.

A combinação da construção de avenidas com a canalização de rios e córregos completou o novo modelo de circulação, com os rios confinados em canais ou galerias subterrâneas e sobre os quais foram criadas avenidas de fundo de vale. São exemplos dessa estratégia a avenida do Estado (sobre o rio Tamanduateí), a avenida Aricanduva (junto ao córrego de mesmo nome), a avenida Nove de Julho (sobre o córrego canalizado do Saracura), a avenida Itororó (sobre o córrego de mesmo nome e futura avenida Vinte e Três de Maio) e as marginais (ao lado dos rios Pinheiros e Tietê, retificado e encurtado em vinte quilômetros, para ocupação de sua várzea). Essas obras acabaram por definir, até os dias de hoje, a estrutura urbana básica de São Paulo.

A expansão horizontal ilimitada, concepção coerente com o modelo radioconcêntrico de sistema viário proposto pelo plano de Prestes Maia, viabilizou o lançamento de loteamentos em periferias distantes. A autoconstrução em lotes próprios era, por sua vez, a resposta, do ponto de vista da economia imobiliária, à crise da moradia, uma vez que permitia a trabalhadores de baixa renda comprar um pedaço de terra a prestação em um loteamento distante e construir pouco a pouco sua moradia, ao ritmo de sua capacidade de poupança e do emprego do tempo e esforço familiar no trabalho de construção. Dessa forma, proporcionava-se um aumento da oferta de moradia,

# Plano de Avenidas de Prestes Maia

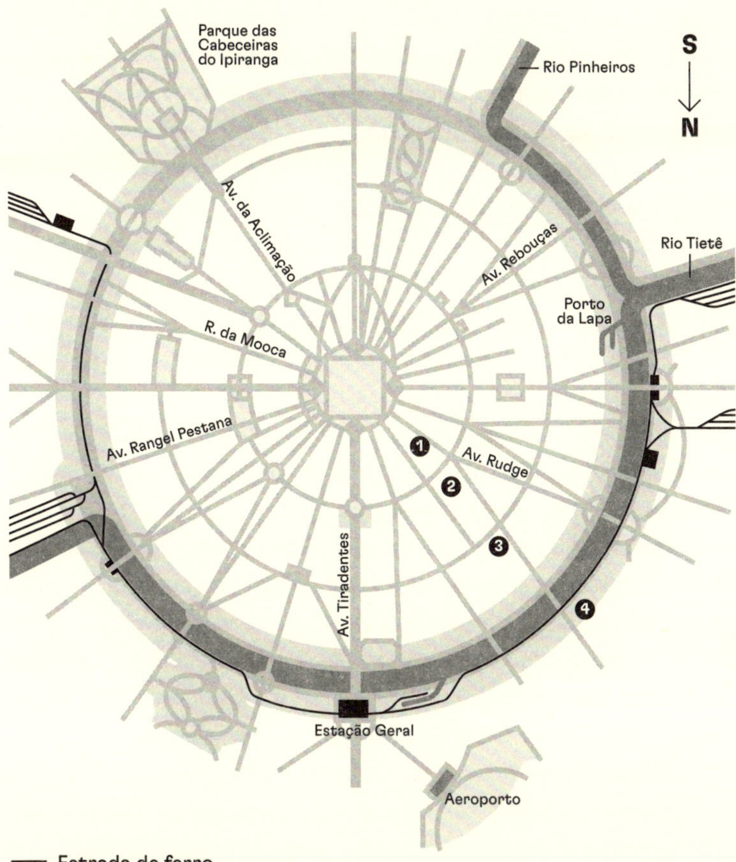


— Estrada de ferro

-■- Estação de Transbordo

❶ Perímetro de Irradiação

❷ Boulevards exteriores

❸ Circuitos Parciais Secundários

❹ Circuitos de Parkways

em um quadro de baixos salários. Esse modelo se expandiu inclusive na escala metropolitana, contribuindo para viabilizar a instalação de indústrias multinacionais de bens de consumo modernos, como automóveis e eletrodomésticos, na medida em que a autoconstrução em loteamentos periféricos permitia a manutenção de salários deprimidos, que jamais incorporaram altos custos de moradia, garantindo a competitividade da indústria multinacional que se estabelecia no país e que teve São Paulo como um de seus epicentros.

A comparação das plantas da cidade e dos dados populacionais de 1914 e 1930 demonstra um processo claro de expansão horizontal e desadensamento populacional. Se em 1914 a área ocupada era de 3.760 hectares (1 hectare corresponde a 10 mil metros quadrados ou aproximadamente um quarteirão) e a densidade, de 110 habitantes por hectare, já em 1930 a área ocupada seria de 17.653 hectares e a densidade, de 47 habitantes por hectare. Ou seja, a densidade caiu pela metade, configurando uma urbanização fragmentada e dispersa. A partir daí ela se manteve praticamente constante, em torno de 50 habitantes por hectare até a década de 1970, e a cidade se espalhou vorazmente, engolindo morros e várzeas e conurbando, isto é, unindo áreas urbanizadas com municípios vizinhos, quase sempre combinando autoconstrução de loteamentos populares — aprovados pela prefeitura ou abertos sem licença —, conjuntos habitacionais públicos construídos nas lonjuras, como Cidade Tiradentes, e ocupações de áreas vazias nessas mesmas regiões.

Loteamentos longínquos do Centro, dispersos e sem infraestrutura, uma cidade de baixíssima densidade comparada ao padrão anterior, que se concentrava em torno dos trilhos: esse novo modelo colocava em xeque toda a lógica de investimentos públicos e provisão de serviços. Para poder atender a essa periferia, ocupada pelas classes populares, era preciso reconhecê-la.

Mas, para isso, faltava um elemento essencial: que estatuto jurídico-urbanístico teria essa parte autoconstruída da cidade? A questão social — inclusive das condições de vida dos operários —, tema fundamental em pauta na crise da Primeira República, exigia também um reposicionamento urbanístico, à medida que o modelo de expansão periférica se transformava em forma predominante da moradia popular: até quando a legislação urbana poderia ignorar a irregularidade da cidade popular? Se a Revolução de 1930 foi feita em nome dos consumidores e produtores da cidade irregular — classes médias, pequenos investidores urbanos e operários —, as coalizões políticas que emergiram nesse cenário teriam que incorporá-los de alguma forma à gestão urbana e à provisão de serviços.

A resposta a esse dilema foi a introdução de um dispositivo no Código de Obras, com consequências muito importantes para a construção de um estilo de gestão e uma cultura política local, que persistem com força até nossos dias. De acordo com o dispositivo proposto em 1932, é possível reconhecer, do ponto de vista administrativo, as casas e loteamentos irregulares das periferias, mas as condições de reconhecimento não estão predefinidas na lei, dependendo de critérios específicos estabelecidos caso a caso por técnicos municipais da Diretoria de Obras.

Dessa forma, estabelece-se uma ordem jurídico-política, na qual a irregularidade na construção do território ganha o estatuto de uma extralegalidade, dependente da intermediação discricionária do Estado — no caso, da prefeitura — para ser reconhecida e, assim, ganhar o estatuto legal e poder se inserir no campo das obrigações e responsabilidades públicas na provisão de infraestrutura, equipamentos e serviços. Por meio dessa fórmula, os assentamentos populares podem e devem ser incorporados na nova ordem, porém apenas se passarem pelo filtro da escolha e do arbítrio do governante da vez.

Inaugura-se, assim, a era da *cidadania consentida*: a condição de legalidade urbana, fundamental para a incorporação de vastas massas às políticas públicas, é uma concessão, seletiva, do Estado. (Qualquer semelhança com a criação dos direitos trabalhistas da era getulista, também formulada e vivida como uma outorga do Estado e dele dependente, é pura convergência...) Por outro lado, para a maioria dos moradores, "cidadania" não é um substantivo, mas um verbo no gerúndio, na medida em que sua inserção plena na cidade é um longo processo, com data de início, mas sem data de conclusão.

Por esse mecanismo, que mais tarde se consubstanciará em anistias periódicas e investimentos em infraestrutura a conta-gotas, é possível analisar qual é o novo pacto territorial que se estabelece entre as classes dominantes e os grupos sociais emergentes. A velha ordem não se modifica para incorporar outras formas de ocupação do espaço: na verdade, apenas tolera — seletivamente — exceções à regra, que, ao serem reconhecidas, são "contempladas" com o direito de receber investimentos públicos em infraestrutura e serviços urbanos. As maiorias clandestinas entram, assim, na cena da política urbana como se devessem um favor a quem discricionariamente as admitiu.

A relação política que funda esse pacto territorial é a que se convencionou chamar na literatura sobre a questão social de "ideologia da outorga", ou seja, o ato fundador da cidadania é uma relação de doação do Estado ao povo. Finalmente, o verbo que fecha e dá sentido à relação é "retribuir". Quem recebe um presente cria um vínculo, que leva naturalmente à retribuição. Assim, a força da coisa dada está em produzir, em quem recebe, a consciência de uma obrigação de retribuir, como um dever político de natureza ética. É interessante destacar a diferença entre retribuir e pagar uma dívida: a retribuição de uma doação não tem prazo nem conteúdo previamente definidos. Trata-se, sim, do reconhecimento de uma obrigação que extrapola a dimensão utilitária. O vínculo que se estabelece pressupõe, portanto, a ascendência do doador sobre o receptor e sua condição de devedor. É um compromisso que a qualquer momento pode ser cobrado e assumir formas variadas de retribuição.

Durante todo o período getulista, o "doador" foi o próprio Estado, sem nenhuma intermediação por parte de organizações autônomas dos trabalhadores/moradores, nem de seus representantes diretamente eleitos. Entre 1930 e 1953, a cidade não elegeu mais seu prefeito, que era diretamente indicado pelo interventor do estado, por sua vez escolhido pelo presidente, e a Câmara Municipal paulistana não funcionou até 1947. Desse modo, implantou-se no nível municipal o mesmo modelo tecnocrático de planejamento e administração, centralizado e supostamente neutro, da ditadura Vargas. A incorporação das periferias era uma decisão direta do prefeito — e de seu diretor de obras.

Com a redemocratização, no final dos anos 1940, a concessão do favor foi pouco a pouco deixando de ser uma decisão direta do prefeito para se tornar resultante de negociações políticas mais complexas, processos nos quais as recém-constituídas sociedades de amigos de bairros (Sabs) e os vereadores por elas eleitos passaram a ter um papel fundamental. Essa nova relação abriu espaço para a construção de uma das bases que fundamentam a política municipal paulistana até nossos dias: são os próprios moradores que autourbanizam a cidade, construindo suas casas e apostando na obtenção futura de reconhecimento, equipamentos e serviços. O reconhecimento — ou não —, assim como a obtenção de serviços e equipamentos (o asfalto, a água, a eletricidade, as escolas etc.), se transformou no mais potente ativo eleitoral da política paulistana. Aos melhoramentos obtidos, retribui-se com o voto ao parlamentar — e ao partido — que pressionou e negociou com o Executivo pela sua obtenção, muitas vezes em troca de apoio a projetos de interesse do prefeito.

Foi com o então vereador Jânio Quadros que essa prática ganhou tais contornos, que persistem até hoje. Jânio, à época do Partido Democrata Cristão (PDC), assumiu uma vaga na Câmara Municipal em 1948, após a cassação dos representantes eleitos pelo Partido Comunista (PC). A partir de então, Jânio converteu-se em porta-voz da periferia, apresentando suas queixas na tribuna da Câmara. Vila Maria, Vila Guilherme, Vila Formosa, Vila Matilde, sedes de comitês eleitorais nas campanhas de Jânio para deputado (em 1950) e prefeito (em 1953), converteram-se em Sabs depois de sua vitória. Dessa forma, as reivindicações das "vilas" por asfalto, água, esgoto e outras melhorias penetraram no gabinete do prefeito. Foram intermediadas por lideranças conectadas a gabinetes de vereadores, através de um modelo que ainda marca a relação do prefeito com a Câmara e com bairros e regiões da cidade.

Mais tarde, já nos anos 1960, sob a gestão de José Vicente Faria Lima, eleito também com apoio da base janista, foram criadas as administrações regionais, organizando os canais de intermediação política constituídos por lideranças das Sabs e vereadores. Assim, as massas populares urbanas penetraram na política sob uma condição subalternizada de dependência dos favores concedidos pela administração municipal, obtidos por meio dessa intermediação, já que a inserção dessas massas na cidade, sempre ambígua, entre irregular, ilegal ou clandestina, não garantia direitos irrefutáveis, ou seja, cidadania plena. Por outro lado, foi a partir dessa condição, e da própria organização popular para construir seu lugar na cidade, que os envolvidos nos processos de autourbanização negociada se constituíram como sujeitos políticos. Dessa forma, nasce a periferia, não no sentido de um lugar geográfico, para além dos limites da cidade corporativa e regulada, mas em seu sentido político.

# São Paulo: evolução da mancha urbana

1930

1954

—— Perímetro atual do município de São Paulo

—— Perímetro atual da Região Metropolitana de São Paulo

● Área urbanizada

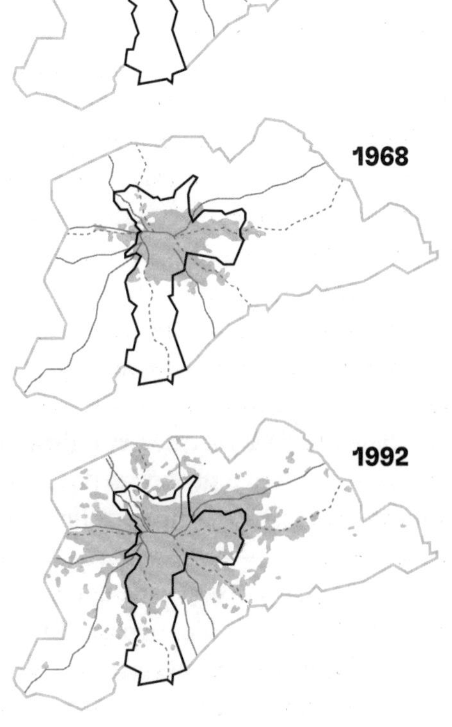

## São Paulo metrópole

Além da constituição e da expansão das periferias como lócus de moradia dos trabalhadores, bem como da substituição do transporte sobre trilhos (trens, bondes) pelo transporte sobre pneus (ônibus, carros, caminhões), o padrão de crescimento da cidade também mudou, principalmente, a partir da década de 1940, com a verticalização nos bairros centrais e a consolidação da região centro-sudoeste da cidade como polo privilegiado de centralidade, concentrando os bairros residenciais de alta renda — algumas *garden cities* (cidades-jardins) — e os principais centros de comércio e serviços.

O surto rodoviarista dos anos 1940 — nesse período foi pavimentada a via Dutra (ligação de São Paulo com o Rio de Janeiro) e implantada a via Anchieta (ligando São Paulo ao porto de Santos) — mudou a geografia das zonas industriais da cidade. As novas indústrias — principalmente metalúrgica, metalomecânica e elétrica — se instalam ao longo das rodovias, gerando uma nova expansão populacional para o ABC Paulista, a sudeste (ao longo da via Anchieta), para Guarulhos, a nordeste (ao longo da via Dutra), e para Osasco, a oeste. O processo é intensificado nos anos 1950, com a instalação da cadeia automotiva e da indústria petroquímica, que inserem a cidade definitivamente no circuito da grande produção multinacional.

São Paulo, que então era o centro industrial mais importante do país, passou a ser também o mais importante centro financeiro e a maior cidade brasileira, suplantando o Rio de Janeiro. Em 1950, a cidade de São Paulo tinha mais de 2 milhões de habitantes e, nas décadas seguintes, cresceria mais de 5% ao ano — até atingir 6 milhões de habitantes em 1970. Durante a expansão urbana dos anos 1960 e 1970, ocorreria a conurbação com os municípios da atual região metropolitana, sobretudo Osasco e Taboão da Serra (a oeste), Guarulhos (a leste) e o ABC (a sudeste).

A imensa pujança econômica de São Paulo atraía migrantes de todos os pontos do país. As décadas de 1950, 1960 e 1970 serão marcadas pela diminuição da imigração estrangeira e por um incremento na migração interna, principalmente de Minas Gerais, do Nordeste do país e do interior do estado de São Paulo. Com isso, tem lugar novamente uma recomposição étnico-cultural da cidade: nasce a São Paulo nordestina, a cidade dos "baianos", expressão utilizada nos anos 1960 e 1970, simplificação operada por uma leitura discriminatória da presença dos nordestinos na cidade, já que jamais o grupo de migrantes mais numeroso da capital tinha como origem o estado da Bahia.

A imigração estrangeira também nunca cessou: da década de 1940 à de 1980, foi constantemente registrada nos censos decenais a presença de cerca de 300 mil estrangeiros residentes no município de São Paulo. O que mudou foi a composição desse grupo e, principalmente a partir dos anos 1940, a sua proporção em relação ao número de migrantes nacionais. Entre 1940 e 1950, os estrangeiros constituíam metade dos não nativos na cidade, e os grupos de italianos e portugueses eram os mais numerosos. Entre 1950 e 1960, dois terços da migração eram de pessoas que vieram de outros locais do país, sendo metade de origem mineira. Entre os estrangeiros, já havia quase tantos japoneses como italianos e espanhóis, mas os portugueses continuavam sendo o grupo mais numeroso. Em 1970, quase 20% da cidade tinha origem mineira e nordestina, e os 380 mil estrangeiros se repartiam em mais de setenta nacionalidades.

Esse movimento (i)migratório, embora tenha diminuído de intensidade a partir da década de 1970 (em 1991, quando a população chegou a 9,5 milhões de habitantes, "apenas" 2,5 milhões eram migrantes e 200 mil, estrangeiros), marcava de forma muito evidente as transformações culturais da cidade. Desde a estranha combinação, obrigatória no cardápio de qualquer lanchonete, de pastel, pizza, quibe e cheeseburger, até os sushimans nordestinos espalhados pelos restaurantes japoneses, muitos são os sinais desses encontros. Em um bairro como o Bom Retiro, onde se falava ídiche nas ruas na década de 1950, hoje são os coreanos que controlam as lojas populares e as confecções, em que a mão de obra é predominantemente boliviana. O bairro de Santo Amaro, que já foi habitado por uma maioria de pessoas de origem germânica, agora tem mais moradores pernambucanos do que a maior parte das cidades do estado de Pernambuco.

A sedução fácil de uma teoria de convivência harmoniosa e divertida é negada, entretanto, pela geografia socioeconômica das origens e raças. Se, no final do século 19, o centro da cidade era brasileiro e mesclava brancos e negros, enquanto os bairros operários concentravam os estrangeiros, hoje a periferia popular é nordestina e negra. Quanto mais distante e precária a periferia, mais preta, parda e migrante. E o Centro, outrora quatrocentão, também terá outro destino.

Do ponto de vista urbanístico, os anos 1970 marcaram o deslocamento do consumo das elites do Centro Histórico na direção da avenida Paulista e dos Jardins. Até então, a São Paulo metropolitana contava com um único Centro, composto de duas partes: o "Centro tradicional" (região do triângulo formado pelas ruas Quinze de Novembro, Direita e São Bento), constituído durante a primeira industrialização (1910-40), e o "Centro Novo" (da praça Ramos de Azevedo à praça da República), que se desenvolveu sobretudo no pós-Segunda Guerra. As vidas cultural, econômica e política de todos os grupos sociais da metrópole compartilhavam um espaço que abrigava a Boca do Lixo e a do luxo, sedes de grandes empresas, uma multidão de vendedores ambulantes, engraxates, pastores e pregadores do fim dos tempos, magazines elegantes da rua Barão de Itapetininga, apartamentos luxuosos da avenida São Luís e os chamados "treme-tremes", edifícios com quitinetes superpovoadas na Baixada do Glicério e no Bixiga. A formação de um novo Centro só aconteceu durante o chamado "milagre brasileiro" (1968-73), período da ditadura militar marcado por um grande aumento do PIB, quando um poderoso subcentro se implantou em torno da avenida Paulista.

A partir de meados dos anos 1960, tem início um processo lento de evasão de sedes de empresas e bancos para a região da Paulista. Ao mesmo tempo, pela primeira vez na história paulistana, o metro quadrado do Centro Histórico deixou de ser o mais caro da cidade. Paradoxalmente, tudo isso ocorreu enquanto um dos investimentos mais importantes e custosos realizados até então em São Paulo, o metrô, afirmava a centralidade daquele ponto, ao fazer cruzar ali, na praça da Sé, as duas primeiras linhas da rede.

Reforçando uma circulação radioconcêntrica, o metrô acabou atraindo para o Centro grandes terminais de ônibus, como o Terminal Bandeira, e configurando mega-áreas de transbordo. Por outro lado, a chegada da indústria automobilística ao país disseminou o uso do carro particular, relegando o transporte público apenas aos mais pobres. Foi então que se implantaram os calçadões na região central, transformando as principais ruas, como São Bento, Direita e Sete de Abril, em lugares exclusivos de pedestres. Assim, desenhou-se para essa área um destino de máxima acessibilidade para o transporte público e de restrição para os automóveis, no momento em que as elites e classes médias da cidade se confinavam definitivamente dentro de seus carros, deixando de ser pedestres e usuárias do transporte coletivo. Estavam lançadas as bases para a popularização do Centro e seu abandono progressivo pelas elites.

Já nos anos 1960, viam-se os primeiros sinais de esvaziamento residencial de bairros próximos do Centro que, até os anos 1930, eram superpovoados: Belenzinho, Brás e Mooca conservavam suas grandes plantas fabris e tinham as ruas dominadas pelo comércio. Enquanto isso, a construção de edifícios para moradia e escritórios avançava sobre a vertente sudoeste do espigão da Paulista, transformando a paisagem de casas térreas e sobrados de bairros como Higienópolis, Santa Cecília, Consolação, Pinheiros, Cerqueira César: o centro urbano se expandia, primeiro com prédios de apartamentos e depois com torres comerciais.

Um número expressivo de edifícios modernos, inspirados nos princípios funcionalistas e afirmando uma arquitetura nacional, marcou a nova paisagem da avenida Paulista a partir dos anos 1950. Nações Unidas, Pauliceia, Quinta Avenida: condomínios residenciais substituíram os casarões. A inauguração, em 1956, do Conjunto Nacional, primeiro edifício de uso misto (comercial e habitacional) na Paulista, anunciou a liberação do uso comercial e conferiu importante centralidade a uma de suas fronteiras, a rua Augusta. A cena cultural das classes médias paulistanas, embalada em jazz, bossa nova e iê-iê-iê, desenhou um território da Galeria Metrópole, no Centro, ao Conjunto Nacional, ocupando-o com bares, boates, galerias de arte e cinemas. Esse movimento foi ainda mais impulsionado com a transferência do Museu de Arte de São Paulo (Masp) da rua Sete de Abril, no Centro, para a avenida Paulista. Seu imenso vão livre, projetado por Lina Bo Bardi, reeditou em 1968 o antigo Belvedere Trianon, um casarão luxuoso de 1916 que, no momento de inauguração da avenida, foi projetado como mirante e local de festas e reuniões das elites, sendo demolido em 1951.

A ocupação cultural da Paulista-Augusta foi a vanguarda de um movimento que, nos anos 1970, ali plantou, em estilo internacional, os poderosos beneficiários do "milagre econômico": grandes empresas, bancos e sindicatos patronais. A lei de zoneamento do município, aprovada em 1972, consagrou esse destino para a avenida. A região da Paulista, assim como o Centro, ganhou o estatuto de "zona comercial de uso misto de alta densidade", atraindo os mais altos potenciais de construção da cidade e permitindo assim o surgimento de prédios altos comerciais, residenciais e mistos.

Até meados da década de 1950, poucas áreas de São Paulo tinham formas de ocupação predefinidas e permissão regulamentada de atividades. Com exceção dos loteamentos da Companhia City (Jardim Europa, Pacaembu, Cidade Jardim, Morumbi, Alto de Pinheiros e City Lapa), que definiam nas próprias escrituras o uso exclusivamente residencial e a relação das casas com seus lotes ajardinados, e de algumas avenidas para as quais existia um regulamento especial (como a Paulista), na maioria dos bairros e ruas da cidade as possibilidades de ocupação eram limitadas apenas a um código de obras que, além de ser válido somente para as áreas mais consolidadas do tecido urbano, não definia usos permitidos ou proibidos, nem detalhava formas obrigatórias de ocupação dos terrenos, como recuos e afastamentos.

A ideia de uma cidade que cresceria indefinidamente para cima e para os lados foi personificada no lema do então governador do estado de São Paulo nos anos 1950, Ademar de Barros: "São Paulo não pode parar". Mas o paradigma começou a ser questionado, pela primeira vez, na própria década de 1950, por um grupo de engenheiros e arquitetos liderados por Luís Inácio de Anhaia Melo, que propôs limites de altura máxima para edifícios e densidades máximas para prédios de apartamentos. Assim, em 1957, foi aprovada uma lei que limitou a área a ser construída a um máximo de seis vezes a área dos terrenos. No mesmo período, as várzeas do Tamanduateí e do Tietê foram definidas como zonas predominantemente industriais. Esses locais se expandiram com o loteamento industrial do Jaguaré e dos arredores de Santo Amaro, junto à várzea do rio Pinheiros.

Porém, foi apenas em 1972, quando São Paulo já se encontrava bastante ocupada por edifícios, principalmente em seu centro-sudoeste, e havia começado a se conurbar com os municípios vizinhos — sobretudo com o ABC, Guarulhos e Osasco —, que foi promulgado um zoneamento prevendo usos e formas de ocupação para toda a área urbana da cidade. O modelo adotado basicamente consagrou as atividades e formas de ocupação já existentes. Assim, o zoneamento propunha a construção de prédios nos bairros onde esta já acontecia, como Perdizes e Vila Mariana; acolhia como norma de ocupação os loteamentos da Companhia City, passando a denominá-los de zona 1 (Z1), incorporando exatamente as regras que já constavam nas escrituras desses loteamentos; e definia como exclusiva ou predominantemente industriais as zonas que já possuíam essa atividade, como a Mooca e o Jaguaré (zonas 6 e 7).

Para o restante da cidade — áreas em grande parte residenciais de renda média e baixa que correspondiam a mais de 70% de seu território —, o zoneamento propunha uma zona mista, de baixa densidade, limitando a possibilidade de construção de edifícios altos de usos comerciais e de serviços mais diversificados (zona 2). Porém, nessas regras jamais foram incorporadas as formas de construir resultantes dos processos de autoconstrução, consolidadas ao longo do tempo: os lotes 100% ocupados, as lajes que vão agregando andares, os térreos sem garagens que se tornam espaços comerciais e de serviços. Dessa forma, o zoneamento consagrou em lei a estrutura de uma cidade em que o uso estritamente residencial e os altos potenciais de edificabilidade (o quanto se pode construir em cada terreno) são concentrados em menos de 10% de seu território, que correspondem também às suas áreas de mais alta renda, separadas das periferias autoconstruídas por uma barreira de zonas industriais.

O modelo proposto pelo zoneamento se completou, em 1981, com a adoção de um dispositivo na lei que destinou a primeira franja da zona rural (zona 8-100/1) para construção de conjuntos habitacionais populares. O objetivo dessa destinação era garantir uma reserva de terras baratas — porque situadas na zona rural — a serem adquiridas pela Companhia Metropolitana de Habitação de São Paulo (Cohab-SP), criada em 1964 para captar para o município os recursos do Banco Nacional de Habitação (BNH) e construir casas populares.

A política habitacional praticada pela Cohab durante as décadas de 1970 e 1980 consistiu na construção de imensos conjuntos uniformes e exclusivamente residenciais nas extremas periferias, marcando sua posição limítrofe em relação à cidade existente e segregando de forma explícita a população que para ali foi deslocada. Exemplos disso são os conjuntos Itaquera 1, 2,

## São Paulo: zoneamento em 1972

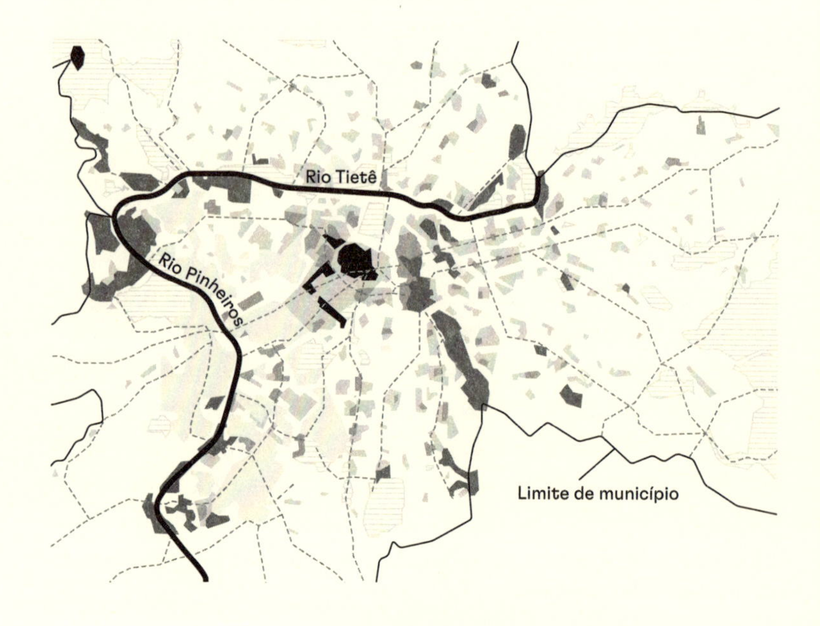


**Z1** zona exclusivamente residencial (grandes lotes ajardinados)

**Z2** zona mista

**Z3** zonas comerciais (permitem verticalizar)

**Z4 e Z5** zonas centrais (permitem verticalizar mais do que a Z3)

**Z6 e Z7** zonas industriais (permitem construir galpões e armazéns)

**Z8** zonas especiais (aeroportos, parques etc.)

- - - - Sistema viário principal

3 e 4 (que somam 35 mil moradias e 165 mil habitantes) e Cidade Tiradentes (com 30 mil moradias e 160 mil habitantes): no extremo leste da cidade, guetos habitacionais sem variedade social ou funcional acabaram servindo como ponta de lança de uma urbanização feita de loteamentos irregulares, ocupações e favelas para aqueles que não tiveram a "sorte" de residir nos conjuntos. Essa política teve como consequência a aceleração da expansão horizontal da cidade, acompanhada pelo agravamento das condições cada vez mais congestionadas de circulação e drenagem, dois flagelos que infernizam a vida na metrópole no novo milênio.

Isso ocorreu porque a expansão horizontal foi se implantando em terrenos cada vez mais impróprios do ponto de vista geomorfológico, quando a urbanização ultrapassou as áreas da bacia sedimentar (onde os terrenos têm baixo potencial de erosão), para atingir os solos do complexo cristalino, de maior declividade e altamente vulneráveis à erosão. Com a remoção da vegetação e as obras de terraplanagem, os solos expostos são sistematicamente carregados pelas chuvas, assoreando rios e córregos. Quando estes já se encontram em galerias fechadas ou canais, seu assoreamento é ainda mais problemático, já que os dois fatores contribuem para diminuir a velocidade de escoamento, agravando a condição dos rios principais e provocando enchentes. Em 1960, o serviço de dragagem do rio Tietê já retirava por ano mais de 1,5 milhão de metros cúbicos de terra do fundo do rio. Como se vê, as enchentes, calamidades sofridas pela cidade em todo verão chuvoso, longe de serem um produto da ira dos deuses, são consequência do próprio modelo urbanístico da cidade.

No entanto, o impacto mais devastador dessa forma de produção e gestão da cidade é a manutenção e expansão de um modelo urbanístico discriminatório, no qual moradores de pedaços inteiros da cidade são condenados a conviver com serviços urbanos ausentes ou deficientes, além de claramente fora dos locais onde circulam as maiores oportunidades.

O impacto da implantação desses conjuntos na Zona Sul do município foi ainda mais grave: a construção do conjunto Bororé, no Grajaú, em 1976, levou mais de 13 mil moradores para uma região que exatamente naquele momento estava sendo definida pela legislação estadual como "área de proteção aos mananciais" e, assim, fortaleceu um processo que ao longo de quatro décadas já instalou quase 1 milhão de pessoas em um local que teoricamente nem sequer poderia ser urbanizado. A lei de proteção aos mananciais, promulgada em 1976 com o objetivo de evitar uma ocupação urbana das bacias tributárias dos reservatórios Billings, Guarapiranga e Cantareira, que abastecem de água a região metropolitana, proibiu a extensão de infraestrutura urbana para a área e definiu como modelo de ocupação das margens um padrão de baixíssima densidade, basicamente de clubes e chácaras de recreio.

Entretanto, no mesmo momento em que se definiam as regras de proteção dos mananciais, a política urbana e habitacional do município apontava para o contrário: consolidava o polo industrial da Zona Sul e a expansão da centralidade a sudoeste (reforçada pela priorização dada à linha norte-sul do metrô, conhecida como linha Azul, que iniciou suas operações em 1974), gerando uma grande demanda habitacional na periferia sul em virtude do aumento da oferta de empregos na região. A resposta a essa demanda — a implantação de grandes conjuntos habitacionais da Cohab na área — teve como efeito a aceleração da ocupação irregular. E a qualidade das águas das represas, assim como dos rios, está hoje bastante comprometida.

Desde o início da implantação do sistema de abastecimento de água e coleta de esgotos na cidade, final do século 19, os rios e córregos têm recebido a totalidade da carga poluidora dos dejetos industriais e domésticos. Porém, foi apenas no final dos anos 1960 que os efeitos da poluição se fizeram sentir. Naquela época, 41% dos imóveis estavam ligados à rede coletora de esgotos; mas, do esgoto coletado, apenas 10% passavam pelas estações de tratamento existentes. Era o mais baixo índice de cobertura do século: os efeitos do padrão periférico de crescimento haviam reduzido a porcentagem de domicílios ligados à rede de 71% em 1940 para 58% em 1970, aumentando em centenas de vezes o volume coletado e jogado nos rios.

Já no que se refere à poluição do ar, em 1970, 58% do valor de transformação industrial do país provinha do estado de São Paulo, sendo 30% da capital. Era enorme a carga poluidora gerada pelas indústrias: das 350 toneladas/dia de material particulado lançado à atmosfera, 75% eram produzidas por elas.

Sob a pesada cortina da contaminação atmosférica e o impacto da poluição das águas, entrou na pauta da gestão da cidade o controle da poluição. O tema apareceu pela primeira vez no debate público por meio da voz dos trabalhadores da Companhia Brasileira de Cimento Portland Perus, um dos maiores focos poluidores da cidade nos anos 1970. Os "queixadas", como ficaram conhecidos os grevistas da fábrica, denunciaram essa condição e incluíram em sua lista de reivindicações o controle da poluição.

Porém, justamente quando, pela primeira vez na história, a face obscura e malcheirosa de sua pujança econômica emergia no debate público, a cidade perdia progressivamente a vitalidade política e a autonomia financeira e administrativa que, desde o golpe de 1964 e a promulgação dos atos institucionais, passara a ser gradualmente concentrada na esfera do Executivo federal. Com prefeitos nomeados pelo governador do estado, em comum acordo com as autoridades militares, pretendia-se enfrentar o tema do controle de seu desenvolvimento por meio da montagem de um aparato de planejamento tecnocrático de tipo autoritário.

Durante a gestão do prefeito José Carlos de Figueiredo Ferraz, nomeado pelo governador em 1971, pela primeira vez foi aprovado um plano global da cidade que procurava estabelecer diretrizes para a totalidade das políticas municipais: desenvolvimento urbano, econômico e social, organização administrativa da prefeitura, uso do solo, controle da poluição ambiental, sistemas de circulação e transportes e áreas verdes. O Plano Diretor de Desenvolvimento Integrado (PDDI) propunha que, em 1990, São Paulo seria uma megalópole de 20 milhões de habitantes, formando um contínuo com as cidades vizinhas, cortada por uma malha quadrangular de vias expressas, sem cruzamentos, que permitiriam aos carros trafegar a uma velocidade de cem quilômetros por hora no perímetro urbano. Seu Centro se multiplicaria em novos centros financeiros, comerciais e de serviços. "Corrigir distorções do desenvolvimento" era, segundo a exposição de motivos do próprio Plano, seu grande objetivo, o que seria alcançado com a implementação de uma estratégia racional de planejamento e com a predefinição dos investimentos públicos. As piadas que circulam nos meios urbanísticos denominam essa rede de vias expressas de vias "impressas", por terem ficado no papel, assim como a maior parte das propostas daquele plano. Porém, ali se inaugurou uma tradição do planejamento urbano da cidade que imaginava que suas propostas seriam capazes de guiar os investimentos públicos futuros — sem levar em consideração que elas dependeriam de decisões tomadas em outro lugar — mas, ao mesmo tempo, consagrava o zoneamento da cidade como sinônimo do plano. Assim foi em 1972, quando o primeiro zoneamento era aprovado. E assim permanece até os dias de hoje.

Enquanto os autores do PDDI sonhavam com uma metrópole harmônica e veloz, uma nova figura política, a "Região Metropolitana de São Paulo", foi criada por decreto federal em 1973. No momento de sua criação, a acentuada expansão da periferia do município já havia provocado a conurbação de São Paulo com vários municípios vizinhos.

A Região Metropolitana de São Paulo (RMSP), ou Grande São Paulo, foi definida então como um conglomerado de 37 municípios (hoje são 39), que ocupavam uma área de quase 8 mil quilômetros quadrados, tendo uma população de cerca de 8,5 milhões de habitantes — 10% do país à época, em apenas 0,5% do território nacional. Além da cidade de São Paulo, as partes mais populosas da Região Metropolitana eram Guarulhos (a nordeste), Osasco (a oeste) e o Grande ABC (conglomerado a sudeste, formado pelos municípios de Santo André, São Bernardo do Campo, São Caetano do Sul, Diadema, Mauá, Ribeirão Pires e Rio Grande da Serra).

Atualmente, Guarulhos é a segunda maior cidade do estado, e o município de São Paulo abriga apenas metade da população metropolitana, que ultrapassa os 20 milhões de habitantes. A Região Metropolitana de São Paulo não constitui unidade política, uma vez que não tem um governo, embora disponha de existência legal.

Desde a sua criação, a Região Metropolitana contou com um órgão de planejamento (a Empresa Paulista de Planejamento Metropolitano S.A. — Emplasa); uma empresa de transportes metropolitanos responsável por uma parcela pequena do transporte público sobre rodas que por ela circula (a Empresa Metropolitana de Transportes Urbanos — EMTU) e que foi extinta na onda de privatizações de empresas públicas estaduais nos anos 2010 a 2020; e uma empresa de trens de subúrbio (a Companhia Paulista de Trens Metropolitanos — CPTM), sob o controle do governo estadual. No entanto, nenhuma dessas empresas tem poder sobre o planejamento do território e a rede de transportes, uma vez que os 39 municípios possuem autonomia sobre o uso e a ocupação do solo e dispõem de seus próprios sistemas de transporte coletivo por ônibus, não necessariamente integrados à malha estadual.

Em nenhum momento a gestão metropolitana ocorreu de fato, nem mesmo durante o período da ditadura militar, quando um aparato metropolitano subordinado à estrutura do governo estadual tinha alguma chance de se impor sobre políticas locais, bastante desvitalizadas com a desarticulação da representatividade política de organizações e partidos.

As diretrizes do Plano Metropolitano de Desenvolvimento Integrado — assim como ocorrera com o PDDI — não se impuseram sobre a lógica dos investimentos que, apesar da institucionalidade impositiva do regime militar, continuavam a ser determinados pelo mesmo tipo de prática anterior. Os interlocutores das políticas municipais — representantes de interesses de empreiteiras, concessionários de serviços públicos e negócios imobiliários, por um lado, e sociedades de amigos de bairros e diretórios de partidos políticos, por outro — foram mantidos por meio de canais que passavam por troca de favores, lobbies e, sobretudo no período pós-democratização, quando aumenta a competição pelo voto, pelo financiamento de campanhas políticas.

Um exemplo eloquente do que acabamos de afirmar é a permanência de um vereador como João Brasil Vita por 36 anos na Câmara Municipal. Tendo passado por quatro partidos (PTB, Arena, PDS e PPB), sua base de sustentação e seu método de obtenção de ganhos políticos atravessaram incólumes tanto a ditadura quanto a redemocratização. Como presidente da Câmara, articulado ao governador Laudo Natel, do Arena, promoveu o afastamento de Figueiredo Ferraz da prefeitura em 1973, antes do final de seu mandato, sob a alegação de que ele era um "tecnocrata". E sobreviveu ileso até o governo Celso Pitta (1997-2001), simbolizando um modo de fazer política municipal bastante arraigado na administração paulistana.

A era dos planos inaugura em São Paulo uma prática que permanece até nossos dias. Por um lado, cria planos e projetos que reiteram padrões, modelos e diretrizes de uma cidade produzida racionalmente, pouco conhecidos e que não se constituem, na prática, como opções vinculantes de políticas. Por outro, vincula o destino da metrópole a mecanismos que articulam as máquinas político-partidárias e os mandatos individuais a interesses econômicos, locais e corporativos, estruturando decisões mediadas pelos mercados dos votos e dos negócios que, como a promoção imobiliária e os serviços de transporte, gravitam em torno da produção e da administração da cidade.

## São Paulo na virada do milênio: megacidade global?

Nas margens do rio Pinheiros, cujo curso já havia sido invertido e retificado para gerar energia elétrica para a cidade que se industrializava no século 20, a paisagem de complexos de torres de escritórios, shopping centers e hotéis de luxo anuncia o novo "centro de negócios" da São Paulo corporativa do século 21. No final do século passado e início do atual ainda se viam favelas, ocupações e bairros populares que ocupavam a região.

Parte dessas favelas foi removida no início dos anos 1990, com o apoio de um pool de empresas que se instalaram na área e constituíram um fundo para financiar a estratégia de remoção. As alternativas oferecidas a esses moradores da várzea foram: uma passagem de volta para sua terra natal; um valor negociável dos terrenos, que poderia variar entre R$ 1.500 e R$ 11.000 por família; um apartamento em conjunto habitacional situado no bairro do Jaguaré ou no Jardim Educandário, na divisa com Taboão da Serra, a ser pago em prestações (e um alojamento provisório até que estes fossem construídos); ou um apartamento em Cidade Tiradentes, conglomerado de conjuntos habitacionais populares produzidos no extremo leste da cidade desde os anos 1980.

Aproximadamente 20% das famílias removidas foram transferidas para os conjuntos residenciais, situados a dez, quinze ou mais de trinta quilômetros do local onde viviam. O restante aceitou a oferta em dinheiro e o "caminhão gratuito" para a mudança e foi se instalar em outras favelas e ocupações próximas ou em áreas de proteção de mananciais na Zona Sul da cidade. Um pequeno núcleo resistiu à remoção: o Jardim Edith, marcado como Zona Especial de Interesse Social (Zeis) no Plano Diretor de 2002. Os moradores que resistiram à remoção obtiveram do Judiciário uma sentença favorável à sua permanência no local, o que levou a prefeitura a construir ali um edifício de habitação social, inaugurado em 2015 e habitado por pouco mais de duzentas famílias que não foram removidas.

A imagem que acabamos de descrever sintetiza processos de transformação que ocorreram na cidade nos anos 1980 e 1990, revelando de forma contraditória tanto os efeitos da entrada do país no compasso da globalização, da reestruturação produtiva e do ajuste urbano, como as promessas e instrumentos que derivaram das lutas pela inclusão territorial dos mais pobres, presentes no processo de redemocratização do país.

Quando o modelo desenvolvimentista autoritário dos anos 1960 e 1970 já tinha dado claros sinais de esgotamento, um arranjo de forças sociais de oposição levou ao processo democrático que culminou com a promulgação da Constituição Federal de 1988. Pressionados pelos novos movimentos sociais que surgiram principalmente nas grandes cidades, o novo texto constitucional afirmou uma série de direitos sociais e representou um avanço no campo jurídico em direção às políticas de inclusão social. Especificamente no campo da política urbana, a Constituição de 1988 reconheceu aos ocupantes da cidade autoconstruída e autourbanizada, como favelas, ocupações e loteamentos das periferias, o direito de acesso pleno aos serviços e equipamentos públicos, além de afirmar a função social da cidade e de todas as propriedades.

Em São Paulo, a gestão de Luiza Erundina (1989-92), então do Partido dos Trabalhadores (PT), traduziu essas pautas para o campo da política municipal. Propôs várias políticas redistributivas e de reconhecimento de direitos, como a demarcação das Zeis, reconhecendo áreas ocupadas por favelas em consolidação como parte da cidade, e a tarifa zero nos transportes. Promoveu a construção de moradias em mutirão apoiada por recursos públicos e introduziu o Imposto Predial e Territorial Urbano (IPTU) progressivo, pelo qual o percentual do valor dos imóveis a ser pago para a prefeitura cresce de acordo com seu preço no mercado.

No entanto, tendo sido eleita com menos de 30% dos votos, já que as eleições da época não tinham dois turnos, e com minoria na Câmara, Erundina não conseguiu viabilizar parte importante das suas propostas. Afinal, a transição da ditadura para a democracia não significou a derrocada das forças políticas que estavam no poder. Ainda que novos atores— como os movimentos sociais urbanos e o novo movimento sindical — tenham entrado na cena política por meio da organização de novos partidos, com participação crescente nos órgãos executivos e legislativos em nível local, os líderes de antigos partidos e oligarquias permaneciam presentes e ainda detinham grande influência e controle do mundo do poder.

Além disso, o cumprimento das promessas da Constituição exigia, não apenas de São Paulo, mas do conjunto do país, a implementação de políticas públicas em grande escala, o que não ocorreria sem gastos públicos elevados e uma reforma radical nas políticas urbanas de caráter excludente. O cenário econômico global, entretanto, levou os governos nacionais na direção oposta. No contexto da crise da dívida e do modelo fordista, em vez da expansão de políticas redistributivas, ocorreu a escalada do consenso neoliberal, que forçou os países a adotarem reformas fiscais ortodoxas e políticas de austeridade que implicaram o corte generalizado dos gastos públicos. Nos anos 1980, o Brasil passou por uma séria crise financeira que restringiu suas possibilidades de expansão de políticas sociais, enquanto a reestruturação produtiva global gerava desemprego e queda vertiginosa das oportunidades de trabalho assalariado, particularmente em grandes centros industriais, como São Paulo.

Em toda a sua história, São Paulo foi uma cidade caracterizada pela demanda voraz de trabalho. A imensa capacidade de absorção de mão de obra explica o crescimento populacional sem paralelos a partir do final do século 19, e o esgotamento dessa possibilidade também ajuda a entender a rápida queda de crescimento populacional que afetou a cidade nas décadas de 1980 e 1990, como veremos.

A partir dos anos 1980, as transformações na indústria — com a entrada da tecnologia no gerenciamento e automação da produção, por um lado, e a mudança das empresas para outras partes do país ou do mundo, por outro — levaram à demissão de trabalhadores em escala cada vez maior, resultando no aumento progressivo das taxas de desemprego. Em 1990, apenas 10% da população total da cidade era empregada formalmente na indústria; em 1995, esse percentual caiu pela metade.

O setor de serviços, embora crescente, não chegou a absorver mão de obra no ritmo de sua expansão. Os empregos do setor terciário diferiam em qualidade dos postos da indústria. Comércio e serviços criam empregos nos extremos da estrutura de renda: por um lado, crescia a demanda por altos executivos, serviços de consultoria, assistência técnica de ponta, operadores do mercado financeiro, marketing, publicidade e pesquisadores qualificados; por outro, multiplicavam-se os serviços de baixa remuneração, como os de faxineiro, auxiliar de escritório, garçom, bem como os autoempreendedores, um número imenso de trabalhadores que atua majoritariamente na informalidade. Os empregos desaparecidos na indústria eram em grande parte de trabalhadores especializados, de remuneração média e difícil recolocação no mercado de trabalho.

A inovação, tecnológica ou gerencial, é basicamente poupadora de mão de obra. Portanto, a reconversão industrial da cidade e da metrópole implica uma transformação fundamental em relação ao passado recente: a nova indústria produz mais valor, mas deixa de produzir empregos.

Até os anos 1980, as condições de emprego, assim como as oportunidades econômicas disponíveis na metrópole industrial, geravam expectativas de ascensão social (mais acentuadas para alguns, em geral os mais ricos e educados). A década de 1990, porém, destruiu as perspectivas de uma melhora progressiva de vida para os que moravam na cidade havia algum tempo. Tal fato é evidenciado pelo aumento do já bastante grande e heterogêneo setor de atividades econômicas informais, especialmente comércio e serviços, que passa a responder por uma parcela significativa dos postos de trabalho da população no município, em ocupações precárias e instáveis. Em 1999, cerca de metade do pessoal ocupado na Região Metropolitana de São Paulo era composta por autônomos ou trabalhadores sem carteira assinada. O desemprego, a instabilidade e a precarização do trabalho tiveram efeitos devastadores sobre os territórios populares.

A reconversão econômica da cidade, entretanto, não ameaçou sua hegemonia. São Paulo continuaria centralizando grande parte dos empregos bem remunerados do país, assim como cada vez mais o mercado financeiro e as sedes das maiores empresas de comunicação e do terciário avançado que acabamos de mencionar. Nas décadas seguintes, até 2010, a Região Metropolitana de São Paulo ainda concentrava quase 20% do Produto Interno Bruto (PIB) total do Brasil. O novo modelo econômico produziu uma inserção diferenciada da cidade em relação ao resto do país. Enquanto em meados do século 20 a São Paulo industrial era considerada a "locomotiva que puxava o Brasil", a São Paulo neoliberal e financeirizada de hoje é um dos pontos nodais das economias globais situados na periferia do capitalismo.

Os efeitos territoriais desse processo foram enormes: a cidade viu explodir o número de favelas e ocupações e emergir, além do polo corporativo terciário globalizado às margens do rio Pinheiros, uma forma urbana profundamente associada a uma nova cultura de viver a cidade: os enclaves fortificados, como condomínios fechados e shopping centers, o que intensificou a fragmentação do tecido socioterritorial da cidade e reforçou seu modelo dependente do automóvel.

Em São Paulo, onde o padrão histórico de moradia popular era o loteamento com terrenos comprados a prestação e casas autoconstruídas nas periferias, a proporção de habitantes das favelas até a década de 1980 era menos significativa. Em 1973, um levantamento da prefeitura indicou que cerca de 70 mil pessoas viviam em favelas (1% da população total do município). Esse número passou, em 1991, a 900 mil (9% da população total) e, em 2000, a 1,2 milhão (11% da população total), permanecendo esse percentual até 2010, ano do último censo do IBGE.

Foi nesse contexto de empobrecimento, desemprego e aumento da pobreza que o narcotráfico, entre outros ilegalismos, penetrou nas cidades, tornando-se referência econômica, uma vez que garantia a sobrevivência das pessoas, mas também redefinindo as relações políticas e associativas no interior do território popular. Um movimento cultural e político se formou entre os trabalhadores que construíram as periferias e favelas, nos anos 1960 e 1970, a partir de organizações que emergiram de movimentos de base da Igreja Católica, de sindicatos e, a partir dos anos 1980, de movimentos sociais e partidos. Esses movimentos operaram como atores políticos na transição democrática, articulando o desejo de ascensão social à luta pela cidadania. No entanto, seus organismos de representação, assim como sua cultura política, foram perdendo hegemonia nesses territórios desde a crise dos anos 1990, ao mesmo tempo que ampliavam seu espaço no establishment político, ainda que de forma subalterna.

Não apenas cresceu o número de moradores de favelas, como também foram constituídas e se expandiram novas formas de organização cultural e política dos bairros populares. No final do século 20, além dos partidos políticos e seus cabos eleitorais, o tráfico de drogas e as igrejas evangélicas neopentecostais passaram a disputar o controle desses territórios, sob a onipresença da violência policial. Nessas mesmas áreas nasceu e se expandiu uma cultura periférica sob grande influência de movimentos negros. Hip hop, funk, pagode e samba se encontram em saraus e pixos, afirmando pertencimento e resistência. A emergência dessa cultura periférica foi fruto da constituição de territórios negros em bairros autoconstruídos, com suas escolas de samba e terreiros, e da interlocução com os movimentos culturais que penetram na cidade, desde o soul que faz emergir os bailes blacks na cidade nos anos 1970 até o punk rock e o rap dos anos 1980/1990.

A violência — onipresente nas relações sociais brasileiras — se encontrou com as armas e dali impôs sua linguagem de matar ou morrer. O número de homicídios em São Paulo cresceu 76% no período de 1990 a 1999, e o de roubos, 112%, mas a violência, assim como os modos de combatê-la, não é igualmente distribuída na cidade. Além de ser efeito, ela é também causa do aumento das tensões. Por um lado, incide nas periferias impondo seus códigos. Por outro, criminaliza todo território periférico e o conjunto de seus habitantes.

Em 1999 o risco de morrer assassinado no bairro periférico do Jardim Ângela (onde ocorriam 94 homicídios para cada grupo de 100 mil habitantes) era 34 vezes maior do que no bairro nobre de Moema (que contava 2,8 homicídios para cada 100 mil habitantes).

Isso se devia em parte à estratégia dos envolvidos no narcotráfico — tanto traficantes quanto a política e a polícia — de focar suas ações nos territórios populares. Mas se devia também a uma espécie de máquina de insegurança que conforma o imaginário da cidade e que tomou a parte pelo todo — a presença, em alguns territórios populares, de traficantes e o envolvimento de alguns moradores nessa atividade como suficiente para criminalização geral. Isso faz operar uma estigmatização dos bairros populares da cidade e justifica uma conduta "diferenciada" da polícia nesses locais, impondo sobre tais áreas um verdadeiro genocídio e o encarceramento em massa de jovens, sobretudo negros. É nesse contexto que a cultura periférica tematiza a cidade, estabelecendo novos contornos sobre a questão da violência policial, a partir de uma crítica feroz sobre o abismo social e o racismo.

A conduta da Polícia Militar nas favelas e periferias, executando sumariamente, torturando, invadindo casas sem mandado de busca, entre outros abusos, além de reafirmar o racismo institucional que marca a cidade, é também uma herança do regime militar. Durante sua fase mais repressiva, em 1969, uma parte das polícias foi incorporada às Forças Armadas para controlar a agitação social e política, inclusive para combater a guerrilha antiditadura militar, com prerrogativas de uso de métodos repressivos e violentos. Em 1977, já durante o lento e gradual processo de abertura política do regime, uma lei concedeu à Polícia Militar as mesmas garantias legais vigentes no final dos anos 1960, eliminando assim as fronteiras entre a guerra contra a guerrilha e contra o "crime comum". Dessa forma se decretou a Guerra às Drogas, que se tornou sinônimo de guerra aos territórios populares.

A percepção da violência pela população é um dos elementos mais importantes para entendermos seus efeitos: ela afeta principalmente a convivência urbana e impessoal, promovendo o autoenclausuramento das classes média e alta, em seus condomínios fechados e shopping centers, e o abandono do espaço das ruas, privatizadas por meio de vigilância ostensiva. Mas também transformando esses produtos — condomínio fechado, shopping securitário — em objeto de emulação e desejo. A violência, assim como o medo, não apenas incidiu sobre as formas de organização social como causou impacto na reestruturação física das cidades, gerando novas formas de segregação espacial. Mas a ela também responderam novos movimentos que marcam a cena política da São Paulo contemporânea.

# A cidade confinada: shoppings, condomínios e a agonia dos espaços públicos

Quem circula pela São Paulo do início do século 21, em qualquer região, haverá de passar, inevitavelmente, por alguma grande avenida em cujas margens se instalou um megaprojeto comercial, em meio a um mar de estacionamentos a céu aberto ou edifícios-garagem. Big, Makro, Extra: nomes como esses, em caracteres gigantescos, são sugestivos de sua escala em relação à cidade. Desde o primeiro shopping center — o Iguatemi, inaugurado em 1966 e que anunciava a expansão da centralidade sudoeste em direção à região da atual avenida Faria Lima —, esses equipamentos se multiplicaram e acabaram imprimindo uma lógica totalmente nova aos hábitos de consumo paulistanos.

Às lojas plantadas em áreas não comerciais foram sendo adicionados novos ingredientes, como as praças de alimentação e os complexos de salas de cinema, o que provocou uma dissociação progressiva das ruas comerciais e das redes de exibição de filmes que existiam no Centro e nos bairros. Até o final da década de 1980, os shoppings introduziram essa nova lógica de organização do espaço comercial no interior da mancha de classe média da cidade, desenhando tentáculos de expansão no mapa como uma ameba. Ibirapuera, Morumbi, Paraíso, Água

Branca: dentro da área que já concentrava as centralidades comerciais, foram sendo implantados esses centros comerciais multiuso misturados a edifícios empresariais, prédios residenciais de classe média, comércio de rua, casas de espetáculos etc.

A inauguração do shopping Center Norte, em plena Marginal Tietê, na confluência das zonas Norte e Leste, sinalizou um passo subsequente: os shoppings aumentaram ainda mais de escala, incorporando centrais de comercialização de materiais de construção e hipermercados e penetraram em bairros residenciais populares, ultrapassando os muros do Centro expandido para se imporem como forma hegemônica ao conjunto da cidade. A entrada desses artefatos nos bairros residenciais populares não representou sua democratização.

Em 2013, 6 mil jovens negros marcaram um encontro no Shopping Metrô Itaquera. Esse foi o primeiro de uma série de "rolezinhos", como eram denominados esses encontros em shoppings pré-organizados pelas redes sociais. A repressão e proibição desse tipo de encontro escancarou a segregação presente no projeto privado de protocidade. Não é para todos nem para todas as formas de ocupar. Apesar de se apresentar como uma nova forma de organização de espaços comerciais e de lazer, o shopping center corresponde a uma reorganização das formas de produção do espaço construído, controlada pelas finanças. Essa nova organização não se baseia mais na produção/comercialização de artefatos construídos, mas em sua exploração e gestão ao longo do tempo. Corresponde também a uma das frentes pioneiras de aplicação de um capital excedente que circula no mercado financeiro global, através de instrumentos como fundos imobiliários, que permitem a esse capital entrar e sair do espaço construído quase instantaneamente.

Essa mesma mudança também impactou na constituição de uma nova centralidade empresarial: o polo corporativo instalado na Zona Sul. Seu surgimento tem início com a criação da Berrini, como é conhecida a avenida Engenheiro Luís Carlos Berrini, aberta na várzea do rio Pinheiros no final dos anos 1970. Ela constituiu o primeiro polo empresarial fora da região central e da avenida Paulista, no momento de transição entre a cidade industrial e a cidade de serviços inserida nos circuitos globais.

A ocupação dessa avenida, assim como a de outros lugares da região, foi impulsionada pela implementação das vias expressas às margens do rio, entre 1968 e 1971. A área já havia sido objeto de operação de supervalorização fundiária nos anos 1930, quando a multinacional canadense The São Paulo Tramway, Light and Power embolsou parte da renda resultante do loteamento de suas margens. Graças à parceria da empresa com a Companhia City, naquela várzea foram lançados alguns dos loteamentos voltados para famílias de alto poder aquisitivo na região, como Morumbi, Cidade Jardim e Alto de Pinheiros. A disponibilidade de terrenos e a existência de setores residenciais de alta renda, assim como, posteriormente, o lançamento do shopping Iguatemi, também nas proximidades da marginal, impulsionaram a expansão terciária naquela direção.

Às transformações nos espaços comerciais e de serviços também corresponderam mudanças nos espaços residenciais, com o surgimento dos condomínios fechados, seja sob a forma de torres de edifícios cercadas por muros, seja de um conjunto de casas que remetem à paisagem do subúrbio estadunidense que Hollywood exportou para as telas de cinema do planeta. Uns e outros são locais apartados do conjunto da cidade e, assim como o shopping, desenham um espaço "público" virtual, porque exclusivo e de acesso controlado, livre da heterogeneidade dos espaços públicos reais da cidade.

A expansão desses novos produtos imobiliários foi fortemente impulsionada pela lógica securitária e seus produtos —

circuitos internos de TV, prestadores privados de serviços de segurança — perante o medo representado pela onipresença da violência. Por outro lado, foram constituindo e sedimentando um modelo de gestão territorial privada, em grande diálogo com a inflexão neoliberal e empreendedorista do Estado. Aqui confluem um projeto de reforma do Estado — no sentido de transformá-lo basicamente em indutor de negócios privados, convertendo os espaços, equipamentos e infraestrutura públicos em fontes de extração de renda privada — e modelos concretos de reconfiguração da vida urbana, propostos pelo complexo imobiliário financeiro e pela indústria securitária.

Tais enclaves residenciais e comerciais foram ocupando antigas áreas industriais e ferroviárias, especialmente as que constituíram uma barreira fabril entre a periferia precária (no Norte, Oeste, Leste e Sudeste) e a cidade rica e equipada no Sudoeste. Ocuparam também, de forma fragmentada, as margens das grandes avenidas, sobretudo as marginais, reforçando um modelo de cidade dependente do automóvel, já que a proliferação dos condomínios fechados, shopping centers, hipermercados e atacadistas dialoga diretamente com o uso do carro. Para os que transitam da garagem dos edifícios até o megaestacionamento dos enclaves, as ruas são meros lugares de passagem, e é no interior daqueles espaços homogêneos, controlados e previsíveis que a vida se desenrola.

A constituição e a expansão contínua do novo polo corporativo, porém, só foi possível graças a um "pacote" de obras viárias — extensões de avenidas, túneis e pontes sobre o rio — implementadas por grandes empreiteiras desde o governo do prefeito Jânio Quadros (1985-88).

No início dos anos 1980, em virtude da crise econômica e fiscal, o governo federal diminuiu os investimentos, desaquecendo o mercado de obras de vulto. Com isso, as grandes empreiteiras de obras públicas, como Camargo Corrêa, Mendes Júnior e Andrade Gutierrez, que se expandiram durante o período da ditadura militar e do chamado "milagre econômico", se voltaram para os estados e capitais municipais.

Em 1985, Jânio Quadros recém-eleito lançou um pacote de grandes obras em São Paulo. Não eram fruto de uma ação planejada de intervenção sobre a área urbana de mobilidade por parte do poder municipal, mas sim resultado de propostas apresentadas por empresas projetistas diretamente ligadas a empreiteiras influentes, selecionadas pelo prefeito de acordo com critérios pessoais: túneis sob o Parque Ibirapuera, construídos pela Companhia Brasileira de Projetos e Obras (CBPO) e pela Constran; Boulevards JK I e II, a cargo da Serveng-Civilsan, CBPO e Constran; túneis sob o rio Pinheiros, realizados pela Camargo Corrêa; minianel viário da Andrade Gutierrez; canal e avenida ao longo do córrego Água Espraiada feitos pela Mendes Júnior; conjunto viário Jacu-Pêssego da CR Almeida; e reurbanização do vale do Anhangabaú, também da Andrade Gutierrez. Entre as obras listadas no "pacote", a maior parte estava diretamente relacionada à expansão e à consolidação do polo empresarial sul.

A crise fiscal, assim como a indisponibilidade de contratação de financiamentos externos em virtude das dívidas da prefeitura, limitava a continuidade das obras iniciadas, até que um novo instrumento passou a ser adotado na cidade para poder solucionar esse impasse: as operações urbanas. Por meio desse instrumento urbanístico baseado em parcerias público-privadas (PPPs), os investimentos viários necessários para constituir e expandir a nova centralidade corporativa seriam custeados com a venda de potenciais construtivos, ou seja, direitos de construir acima dos limites impostos pelo zoneamento da cidade, para a edificação de empreendimentos imobiliários em seu entorno. Foi o caso da Operação Urbana Faria Lima, regulamentada em 1995, e da Águas Espraiadas, em 2001.

Desde meados da década de 1980 já ocorriam eleições diretas para prefeitos das capitais, e a disputa para os cargos no Legislativo e no Executivo vinha se acirrando, gerando a necessidade de financiamento de campanhas cada vez mais caras. Com a redemocratização, as grandes empreiteiras converteram-se nas principais financiadoras de campanhas políticas, sobretudo para cargos do Executivo — presidente, governador, prefeito de grandes cidades —, esfera com maior poder de definir e controlar os contratos de obras. Em geral, as empresas com maior capacidade de contribuição financeira faziam doações para vários partidos, apostando valores mais substantivos naqueles com mais chances de vitória.

Para as empreiteiras, as doações funcionavam como uma espécie de "seguro", garantindo que seriam contratadas pelo novo governo e pagas dentro dos prazos caso tivessem contratos em andamento. Para os políticos envolvidos, tratava-se de uma "retribuição" pelo apoio recebido. A reprodução do mecanismo dependia das margens de lucro obtidas nas obras, sobrelucro que "pagava" seu investimento na manutenção das articulações políticas. No limite, esse arranjo possibilitava que as grandes empreiteiras não apenas redirecionassem o orçamento público — inclusive por meio de lobbies nos Legislativos —, mas também formulassem os projetos de infraestrutura que iriam executar, "vendendo-os" para seus potenciais clientes, ou seja, os governos e empresas estatais. Certamente, esse foi o caso do pacote de obras que, em conjunto com o aumento dos potenciais construtivos, constituiu o "plano urbanístico" dessas operações.

O dispositivo se completou com as mudanças que, principalmente a partir dos anos 1990, ocorreram no mercado imobiliário da cidade, quando este aumentou sua articulação com os mercados financeiros. Isso ocorreu por causa das estratégias financeiras das empresas (que em vez de construírem suas sedes próprias e imobilizarem nelas seu capital, passaram a ser locatárias de lajes ou edifícios em contratos de longa duração, constituindo um novo e promissor mercado de aluguel corporativo), tanto quanto do lançamento de novos produtos financeiros, como fundos imobiliários e certificados de recebíveis, papéis que circulam no mercado financeiro representando o direito a participação de rentabilidades futuras dos empreendimentos, passíveis de circular independentemente da venda dos próprios edifícios.

Fechou-se, assim, o círculo: as "avenidas imobiliárias" financiavam o custo das obras propostas pelas empreiteiras, abrindo ao mesmo tempo novas frentes para a expansão do complexo imobiliário financeiro na capital e alimentando a máquina de financiamento das campanhas eleitorais. Exatamente ao lado do novo "cartão-postal da cidade", a ponte Octavio Frias de Oliveira (ponte estaiada), construída pela OAS, estava a já mencionada favela Jardim Edith, que resistiu, solitária, à remoção, por ter sido definida como Zeis.

As décadas de 1980 e 1990 foram marcadas também por uma mudança no processo de crescimento populacional da cidade. O município como um todo, que em 2000 possuía 10,4 milhões de habitantes, passou a registrar baixas taxas de crescimento populacional. Essa taxa caiu de 1,16% ao ano, na década de 1980, para 0,91% ao ano, entre 1991 e 2000. Nessa década, o saldo migratório do período — a diferença entre o número de pessoas que entraram e saíram da cidade — ficou negativo em 457 mil pessoas. São Paulo só não viu sua população diminuir em termos absolutos porque na mesma época nasceram 2 milhões de pessoas na cidade.

Estaríamos diante de uma estagnação do crescimento populacional? Uma observação mais detida das taxas revela que estas não foram uniformes para o conjunto da cidade; enquanto nesse período os bairros centrais diminuíram sua população em termos absolutos e o Centro Histórico (correspondente ao que hoje constitui a subprefeitura da Sé) perdeu quase 30% de moradores entre 1980 e 2000, as periferias registraram os maiores níveis de crescimento populacional. Distritos como Anhanguera, no Noroeste, e Cidade Tiradentes, no extremo Leste, cresceram muito: 12,4% e 6% ao ano, respectivamente.

Os distritos do Centro expandido que perderam residentes, curiosamente, são aqueles mais consolidados e que possuem maior cobertura de serviços e equipamentos urbanos. São tanto bairros onde vive a população de renda mais alta (Jardim Paulista, Moema, Alto de Pinheiros) quanto bairros onde reside a população de menor renda da região (distritos Sé, Liberdade, Brás e Pari). E mais: nos bairros que se verticalizaram, substituindo casas e sobrados por edifícios de apartamentos (como Vila Madalena e Tatuapé), a população moradora diminuiu ao invés de aumentar, reduzindo a densidade e "exportando" populações para periferias mais distantes no próprio município e no entorno metropolitano, em função do aumento do preço dos imóveis e aluguéis.

Isso significa que a máquina de produção da exclusão territorial descrita nos capítulos anteriores continuou em plena vigência. Contudo, é preciso matizar e problematizar essa dualidade: de forma cumulativa, a cidade autoproduzida pelos próprios moradores vai se consolidando, conquistando a extensão de infraestrutura, a implementação de equipamentos públicos, a ampliação das ofertas de comércio e serviços, possibilitada também pela diminuição do ritmo de crescimento da capital e pela prosperidade de seus habitantes. Assim, na São Paulo do século 21, quando se fala em "periferia", na verdade está se designando territórios heterogêneos do ponto de vista socioeconômico e urbanístico. Frentes de expansão sem urbanidade se encontram hoje predominantemente fora dos limites da capital, mas áreas inteiras já consolidadas, com infraestrutura completa, ainda carregam a marca de um processo de ocupação ex post, ou seja, em que a cidade chegou muito depois dos moradores e suas casas.

## Crise e mudança na São Paulo da pandemia eletrônica

Verão de 2003, janeiro, madrugada. Um carro sai do estacionamento no subsolo de um prédio corporativo e, enquanto espera o sistema eletrônico acionar grades e portões, do volante o motorista olha para cima e vê ainda alguns andares iluminados pela luz dos computadores. Na calçada, duas pessoas estão remexendo o lixo à procura de latas, comida e papelão. O carro acelera rapidamente, temendo a aproximação de um adolescente, cabelo crespo oxigenado, que caminha em sua direção.

Ao percorrer as ruas estreitas do bairro, o carro é detido pela enorme fila de táxis e pelo movimento dos manobristas na saída de uma casa noturna. Mulheres loiras com vestidos brilhantes justíssimos e saltos agulha e homens de blazer e mocassim se misturam por um segundo a homens e mulheres que acabam de desembarcar do ônibus, vestidos de jeans e camiseta e carregando sacolas de plástico.

Finalmente o carro alcança a avenida. Surpresa: congestionamento às seis e meia da manhã? No rádio, o repórter no helicóptero avisa: caminhão tombado em certo lugar, árvores caídas e pontos de alagamento que sobraram da tempestade do dia anterior; evitar a rua tal e o caminho tal. Da janela do carro parado, o motorista observa homens e mulheres vestidos com roupas esportivas, correndo ou caminhando rapidamente pelo canteiro central, ao ritmo da música que toca em seus fones de ouvido e envoltos por sua utopia de saúde, longevidade e beleza.

São sete e meia da manhã quando o motorista entra finalmente na estrada que o levará ao condomínio onde mora. Do outro lado da pista, na entrada da cidade, há uma imensa fila de caminhões e carros, e os vendedores de água, suco, eletrônicos e bonecos gigantes de plástico já instalaram seu camelódromo itinerante.

Quilômetro 30: o motorista para no estacionamento de uma das megalojas da estrada e, atravessando corredores, chega à padaria em estilo country. Entre cestinhas decoradas com renda e flores do campo de plástico, ele escolhe baguetes e croissants. E se lembra por um segundo de sua avó materna, nascida em casa de chão batido no meio do sertão, e da avó de sua esposa, que nunca esqueceu o porão do navio em que viajou até o Brasil, depois de ter sido arrancada, menina, de uma aldeia à beira-mar no Japão.

Oito e meia da manhã, ele passa pelos controles da guarita e guarda o carro na garagem de sua casa. Ao lado da xícara de café na mesa já posta, está a pilha de contas por pagar: luz, água, IPTU, telefone, internet, celular, escola, academia, natação, aulas de inglês, prestação do carro, IPVA, multas, seguro... Na TV, já ligada pela empregada na cozinha, vê a peça publicitária com a mesa arrumada do café da manhã e a família que acorda feliz por poder passar no pão aquela maravilhosa margarina.

Enquanto limpa o barro do sapato, a empregada faz as contas de quanto vai precisar para comprar a laje para cobrir o cômodo que ela acabou de construir no Jardim Progresso. Fica ali perto, do outro lado da pista e a apenas quinze minutos de caminhada até o ponto por onde passa a van que a conduz ao condomínio.

Madrugada, fevereiro, quarta-feira de cinzas, verão de 2016. Os últimos foliões fantasiados tropeçam nas pilhas de latinhas de cerveja. Duas pessoas estão recolhendo as que sobraram pelo chão em sacos de aniagem improvisados, disputando-as com os garis uniformizados que chegam com vassouras e caminhão de água para lavar as ruas. Três ciclistas, de capacete e mochila, passam pela faixa pintada de vermelho na rua. Os foliões se dirigem à estação de metrô mais próxima. Em seu percurso vão passando por muros pintados de cores fortes, papéis colados com trechos de poemas, grafias ininteligíveis. Chegam finalmente à estação de metrô. Ali, em um longo beijo a três se despedem: as meninas (por que temos que definir o gênero?) entram no subterrâneo, que as levará a outra estação, que as levará ao trem da CPTM, que as levará finalmente para casa.

O rapaz tatuado e barbudo continua caminhando até o prédio em que vive, perto dali. É um edifício modernista dos anos 1950, com uma entrada majestosa desgastada pelo tempo e pela falta de manutenção. Como o elevador não funciona mais, o rapaz sobe os 120 degraus que o levam ao apartamento que compartilha com dois amigos, igualmente tatuados e barbudos. Da varanda, onde mantém um jardim suspenso plantado em garrafas PET recicladas, vê uma via expressa elevada, já movimentada a essa hora.

Enquanto o rapaz limpa a maquiagem do rosto, as meninas continuam seu percurso atravessando a cidade. Da janela do trem, avistam uma paisagem de torres de edifícios salpicadas em meio a um mar de sobrados autoconstruídos. E mais vias expressas e avenidas. E galpões de onde saem caminhões carregados. Ponto final do trem, já é dia quando sobem a escadaria da ponte que atravessa a linha. Elas também se despedem e se dirigem para suas casas. Uma vai em direção à guarita que marca a entrada do conjunto habitacional da CDHU onde vive. Repassa mentalmente o que precisa fazer ao chegar: preparar um café na cafeteira elétrica, acordar o irmão mais novo, pôr a carne do jantar para descongelar no micro-ondas, ligar o computador para pagar as contas de luz, água, internet e a prestação do Magazine Luiza. De repente, um barulho, um corre-corre e, pela enésima vez, ela enxerga aquela cena maldita: dois meninos negros de boné e mochila são retirados de suas motos e colados contra a parede. Estão sob a mira de cinco policiais armados.

24 de julho de 2021. Fogo na estátua do Borba Gato! Naquele sábado frio de julho a imagem em chamas da gigantesca estátua coberta de pastilhas construída em 1963 numa praça em Santo Amaro, Zona Sul da cidade, roubava a cena das manifestações pelo impeachment de Bolsonaro convocadas para aquela mesma tarde na avenida Paulista. O grupo Revolução Periférica, liderado por Paulo Lima, o Galo, reivindicou a autoria do protesto. Segundo Galo, o fogo teve como objetivo abrir o debate sobre os símbolos que reverenciamos na cidade. Borba Gato, o bandeirante, é "um genocida, escravizador de índios, estuprador de mulheres, que enriqueceu com a escravização, a tortura e a morte".

Um ano antes, Galo havia sido uma das lideranças da primeira greve de entregadores de aplicativo, lançando o movimento de Entregadores Antifascistas, exatamente no momento em que a cidade, assolada pela pandemia de um vírus altamente contagioso — a Covid-19 — que custou mais de 40 mil mortos ao município de São Paulo, e pressionada pelo imperativo de isolamento social, fez intensificar a necessidade do delivery, do trabalho desses entregadores e do consumo por aplicativo. O breque dos APPs, como ficou conhecida a greve convocada em julho de 2020, denunciava que em plena pandemia os entregadores não recebiam das plataformas que os gerenciam — e exploram — nenhuma proteção contra o contágio (como máscaras e álcool gel), nenhuma garantia trabalhista, nenhum apoio contra acidentes e mortes durante as entregas em motos e bicicletas. Criado no hip hop, foi nas letras de rap que Galo fez sua formação política; nas ruas e nas redes sociais se encontrou com movimentos antirracistas e antifascistas, novas vozes paulistanas que se levantam contra as raízes troncudas das velhas formas de opressão.

Sábado chuvoso de primavera, final de outubro de 2021. Depois de quase dois anos, saio do meu isolamento, do meu medo de matar e morrer de Covid-19, e me atrevo a mergulhar na realidade presencial da cidade. Nela a vida continua. Entre ônibus e trens lotados, para percorrer as longas distâncias construídas na cidade industrial, mas principalmente nos bairros, nas regiões, nos territórios. Ali a vida se reinventa. Onde era padaria, agora é pet shop, onde era um mercadinho, agora é adega, e grandes torres despontam em espaços transformados com a chegada de estações de metrô e trem. Nos extremos da cidade, em suas margens avançam novas ocupações: morros inteiros ocupados com barracos e tendas daqueles que não podem mais pagar aluguel, que foram removidos e despejados pelos que enxergam, nesse fazer da cidade, uma oportunidade de novos negócios. Ali se mistura o idioma do direito à moradia, herdado das décadas de organização e negociação institucional, com o empreendedorismo e a violência.

Na cidade pós-pandemia, a fome voltou, as ruas se encheram de barracas de camping e moradores sem-teto. Ao mesmo tempo, o boom imobiliário não foi detido nem pela pandemia e, combinado a ela, está transformando mais uma vez a geografia da cidade.

A economia digital e eletrônica vai redefinindo o mundo do trabalho e do consumo. Menos no sentido das possibilidades abertas com o chamado home office (o trabalho em domicílio conectado pela via eletrônica), realidade possível apenas para uma parcela pequena dos moradores da classe média, mas sobretudo pela onipresença do digital, através das novas formas de mediação e extração de renda. Entregadores de comida e pacotes encomendados online, motoristas de aplicativos, proprietários de pedaços de cidade alugados por frações de tempo: empreendedores de si mesmos, autoexploradores de seu próprio trabalho, que remunera numa escala sem precedente os gestores financeiros, administradores das plataformas digitais aos quais trabalhadores desempregados precisam se submeter.

O que se passou em São Paulo nos quase vinte anos que separam essas quatro cenas? Uma primeira década, entre 2003 e 2013, foi marcada por intenso crescimento econômico, aumento na capacidade de consumo dos mais pobres, inserção de uma primeira geração de jovens periféricos nas universidades, combinados com uma agudização da crise da mobilidade, da motorização da periferia e da incapacidade do sistema político e administrativo de oferecer qualidade, eficiência, respeito e dignidade nos serviços de infraestrutura da cidade.

As jornadas de junho de 2013 constituem a inflexão desse momento e dão início a um novo processo longo e complexo. O estopim dos protestos foi um aumento da tarifa dos ônibus em R$ 0,20. "Não é só por 20 centavos" foi uma das frases lidas nos cartazes, pichadas nos muros. Ela foi lançada pelo Movimento Passe Livre (MPL), grupo de jovens, inclusive periféricos, organizado em torno da luta pela tarifa zero, por qualidade e eficiência nos transportes coletivos para todos. O tema da mobilidade urbana naquele momento também era levantado na cena pública pela ação de grupos de cicloativistas, que inseriram na agenda de São Paulo a luta por modos não motorizados de circulação.

Do ponto de vista do governo, políticas como o bilhete único, a integração das redes de metrô com a CPTM, já vinham sendo implementadas desde o início do milênio, ampliando a mobilidade da população. Com a entrada em cena de corredores exclusivos de ônibus, durante a gestão da prefeita Marta Suplicy (2001-04), do PT, houve uma priorização inédita do transporte coletivo no sistema viário. A essas iniciativas se somaram, na gestão Fernando Haddad (2013-16), do mesmo partido, investimentos em políticas de restrição da circulação de automóveis, com faixas exclusivas de ônibus, implementação de ciclovias, redução da velocidade máxima de circulação e fechamento de avenidas e vias expressas nos domingos e finais de semana, ampliando assim o poder do transporte coletivo e dos modos de locomoção não motorizados.

Em 2013, as reivindicações do MPL encontraram-se nas ruas com dezenas de outros movimentos, como o das mulheres pela livre circulação na cidade sem assédio, nem medo de estupro; dos paulistanos negros contra o massacre permanente de jovens pela polícia; e daqueles que criticavam os investimentos destinados à Copa do Mundo de 2014 e que não encontravam paralelo na qualidade dos investimentos em escolas, creches e equipamentos de saúde. Logo depois, nas ondas massivas de ocupações de escolas públicas pelos estudantes secundaristas em 2015, assim como em muitas ocupações de moradia, se encontram coletivos, grupos e pautas: em torno da alimentação saudável, do direito à cultura, à autonomia e cuidado, da educação democrática e do feminismo, da ecologia e meio ambiente urbano.

Essas mudanças, no entanto, não ocorrem sem uma enorme reação conservadora: desde movimentos de bairros que rejeitam estações de metrô, por considerar que estas atrairão usuários "indesejados", ou corredores exclusivos de ônibus, por não aceitar a perda de espaço dos automóveis na cena pública, até ações civis que tentam impedir a implementação de ciclovias ou o fechamento de vias à passagem dos carros para destinar mais espaços públicos aos pedestres. Logo, em 2016, o lema do prefeito que ganhou a eleição para a capital, João Dória, do Partido da Social Democracia Brasileira (PSDB), era "Acelera, São Paulo", na contramão das políticas de restrição das velocidades e liberdades dos automóveis.

O modelo rodoviarista predominante na cidade, reeditado *ad nauseam* ao longo das últimas décadas, não suportou a explosão de consumo de carros e motocicletas por parte da chamada "nova classe média". A indústria automobilística, base importante para o crescimento econômico (foi responsável por 13% do PIB em 1999 e 19,8% em 2009), despejou no Brasil 3 milhões de automóveis comerciais leves de passageiros por ano, desde 2008, entupindo as cidades e comprometendo — em razão da poluição, dos acidentes e de congestionamentos — a saúde de seus habitantes. Em São Paulo, o pacto de vida e morte dos poderes da cidade com os carros e o não investimento no transporte coletivo de massa impõem a imobilidade para o conjunto da sociedade. Na cidade autourbanizada pelos próprios moradores, nas vias estreitas e ladeiras íngremes sem calçadas, circular é objeto de negociação permanente entre carros, motos, caminhões, vans, ônibus e pedestres.

A opção pelo transporte sobre pneus e a priorização dos investimentos que melhoram a condição de circulação para os carros têm sido, salvo pouquíssimas interrupções, a política dominante desde os anos 1940. A rede de metrô é insuficiente ante a demanda de transporte de alta capacidade. Além disso, embora a metrópole hoje conte com centralidades importantes como Guarulhos, Osasco e as cidades do ABC Paulista, o metrô, apesar do nome, continua municipal e não metropolitano. Mesmo dentro do município de São Paulo, onde a rede está circunscrita, a maior parte das linhas implantadas obedece a uma lógica radioconcêntrica, idêntica à que predomina no sistema viário, levando da periferia para o Centro e vice-versa, e reforçando apenas alguns dos vários centros existentes hoje no município. Atualmente, essa centralidade se espraia da avenida Paulista até o vale do rio Pinheiros, lócus do complexo imobiliário financeiro e das operações urbanas, onde até a CPTM implantou um sistema de melhor qualidade.

A rede de trens da CPTM, que se estende por mais de duzentos quilômetros em território metropolitano, nunca recebeu os investimentos necessários para se transformar em sistema de transporte urbano de massa de alta qualidade. Além disso, até hoje não foi resolvida a questão do uso de parte do sistema de trilhos da metrópole por empresas privadas de transporte de carga, que obtiveram o direito de utilizá-lo nos anos 1990, quando parte da Rede Ferroviária Federal foi privatizada.

O sistema de ônibus, ainda o modo de transporte coletivo predominante, é operado através de lotes de linhas concedidos a empresas em modelos e sistemas definidos e geridos de forma autárquica e pouco integrada em cada um dos 39 municípios da RMSP. As malhas hoje existentes — de trem, metrô, ônibus urbano e intermunicipal — pouco se complementam, o que agrava sua insuficiência. As dificuldades de integração têm natureza política, sendo atravessadas pelos interesses de empresas envolvidas no negócio dos transportes — de concessionárias de serviços de ônibus a empreiteiras, que agora participam com suas subsidiárias não só da construção, mas também da operação do metrô.

Ao contrário das previsões que imaginavam uma cidade onde as pessoas trabalhariam em casa e viveriam conectadas à rede de computadores, portanto com menos necessidade de se deslocarem no dia a dia, a comunicação eletrônica multiplicou a circulação. Um exemplo é o e-commerce: depois de feita uma transação, é necessário enviar fisicamente a mercadoria ao comprador. Ao invés de isolar indivíduos diante de suas telinhas, como ocorreu com a explosão da TV, o Facebook e outras redes sociais criaram novas possibilidades de encontros. A internet, com a vastidão do território por ela atingido, na verdade aumentou vertiginosamente o número de objetos e pessoas em circulação. Mas essa também é uma lógica submetida às demais lógicas de estruturação da cidade: sinal bom de internet, antenas repetidoras e recursos para pagar bons equipamentos e provedores não estão homogeneamente distribuídos pelos territórios.

Assim, instaurou-se o paradoxo de uma cidade que, marcada pela velocidade de circulação das informações e pela instantaneidade da comunicação, se encontrava na primeira década do milênio entupida por carros e com suas vias quase paralisadas. É no bojo dessa crise que emergem importantes movimentos da sociedade civil pressionando por transformações e tensionando o modelo rodoviarista.

Além do cicloativismo e do MPL, movimentos culturais também incidiram para questionar a cultura urbana dos enclaves. De ocupações efêmeras e permanentes dos espaços públicos por uma arte situacional à multiplicação de blocos de carnaval, festas na rua e bares com mesas na calçada, ações e movimentos vindos de distintas origens convergiram para reivindicar uma vida nas ruas, um espaço público que não se destinasse apenas à circulação.

A essas manifestações se somaram as lutas pelos bens comuns: por parques abertos e públicos, como as lutas do Parque Augusta e do Parque do Bixiga. No primeiro, houve forte contestação contrária a um projeto de altas torres residenciais e escritórios sobre a última área verde remanescente em um bairro de alta densidade construtiva. No segundo, viu-se a teatralização dos conflitos existentes no bairro do Bixiga entre ocupações culturais — como a do Teatro Oficina e a do Terreyro Coreográfico, além de dezenas de outras — e o interesse do mercado imobiliário em comprar os terrenos para criar torres e shoppings. Houve também manifestações contra a privatização de parques como o Ibirapuera, ameaçados de transformar-se em shoppings a céu aberto, e tentativas de enfrentamento da agenda de concessão privada de parques, ginásios e estádios, como o Pacaembu, pertencentes à prefeitura e ao governo estadual.

Nas periferias, ocupações culturais de equipamentos públicos abandonados pelo Estado ou de espaços vazios, como a Ocupação Cultural Ermelino Matarazzo, na Zona Leste, ou a Quilombaque, em Perus, transformaram esses locais em centralidades, espaços de reflexão e formação política. São apenas alguns dos exemplos (que chegam às centenas, talvez milhares) do que tem ocorrido na segunda década do século 21 em áreas da chamada "periferia consolidada". Não se trata apenas de ocupações culturais e de lazer, mas também de lutas pela moradia, que às vezes ocorrem em um mesmo espaço, por exemplo, as sucessivas ocupações dos edifícios Prestes Maia, 9 de Julho e do Hotel Cambridge na área central de São Paulo. Ali movimentos organizados — ou não — protagonizam disputas que atravessaram as duas décadas deste século e que persistem, apesar da voracidade do mercado imobiliário e da submissão dos projetos urbanos lançados pela prefeitura a seus desígnios.

Desde a década de 1990, um dos grandes temas da política urbana municipal é o chamado esvaziamento da área central de São Paulo, iniciado no final dos anos 1960. Movimentos sociais voltados à luta pela moradia têm promovido ocupações de edifícios vazios na região e pressionado o governo a implementar políticas habitacionais capazes de promover a reabilitação desses prédios e sua transformação em moradia definitiva.

Também desde os anos 1990 programas habitacionais promovidos pelo governo do estado e pela prefeitura anunciam iniciativas de reabilitação de edifícios para oferecer moradia de interesse social. Na prática, alguns prédios foram de fato reformados e estão agora habitados, entretanto jamais um programa maciço nessa direção foi deslanchado. Assim, dezenas de edifícios ocupados enfrentam muitas vezes processos violentos de reintegração de posse — para gerar uma nova ocupação mais adiante — ou levam anos para ser reformados, mobilizando os parcos recursos dos próprios moradores.

A ideia de que o "Centro está vazio", invisibilizando a presença do comércio popular, de pensões, cortiços e ocupações, alimentou por parte dos governos da cidade o lançamento de planos e projetos urbanísticos de "revitalização". Operação Urbana Centro, Concessão Urbanística Nova Luz, Projeto de Intervenção Urbanística (PIU) Central, PPP habitacional — várias têm sido as tentativas de atrair o mercado imobiliário para o Centro, oferecendo desde potenciais construtivos maiores do que no restante da cidade até a possibilidade de expropriarem edificações, como foi o caso da Concessão Urbanística Nova Luz, derrotada na Justiça depois de uma grande mobilização contrária.

Na primeira década do século 21, depois de décadas de perda populacional, todos os bairros centrais veem crescer sua população, de tal forma que, entre 2000 e 2010, o chamado Centro de São Paulo ganhou quase 60 mil novos habitantes. Quem são e onde estão os novos moradores?

Além de ocorrer a ocupação de edifícios e o aumento de pensões e cortiços na área central, a indústria imobiliária formal lançou na região uma nova opção de moradia para setores médios, com prédios de *studios* e apartamentos de um dormitório, acoplados ou não a ofertas de serviços *on demand*, como lavagem de roupa e cozinhas gourmet ou *co-working* alugados por hora, mudando o perfil e a renda dos moradores do Centro.

Em bairros como Vila Buarque, por exemplo, o repovoamento que ocorreu em razão dos baixos preços de aluguéis, da grande oferta de transporte e da proximidade com a vida cultural e noturna, assim como das facilidades de consumo sem a necessidade de usar carro, acabou se transformando em nova frente de expansão imobiliária.

Dessa forma, a democratização do uso do espaço, permitida pelos baixos aluguéis e de valor dos imóveis, acaba se desfazendo, pressionada pela incorporação dos "novos modos de vida" aos preços.

Por outro lado, é a própria pauta da luta por moradia, trazida pelas lutas dos sem-teto e moradores de rua, que se transmuta para oferecer um novo nicho do mercado: as parcerias público-privadas de moradia. Nelas, prédios, terrenos e recursos públicos são oferecidos para investidores dispostos a construir empreendimentos para "repovoar" o Centro. Nessas operações, como ocorreu nos Campos Elíseos, dezenas de pensões foram demolidas, os moradores despejados e as torres construídas com apartamentos que evidentemente não foram vendidos para eles. Para "fechar a conta" do modelo de parceria, os apartamentos são para os sujeitos de crédito, que pagarão suas prestações, garantindo a rentabilidade do capital investido.

Com 468 anos de vida, quase parando de crescer e envelhecendo rapidamente, São Paulo chega a uma espécie de idade adulta atingida por um combo de crises — sanitária, econômica, política, social e ambiental, que assola o país, a região, o planeta.

A metrópole atravessa a crise de forma ambígua: de um lado, com a intensidade, a energia e o vigor que sempre marcaram seu crescimento; de outro, com o igualmente intenso mal-estar que toma conta de seus habitantes.

O vigor está na dinâmica de seus mercados, turbinados pela década de abundância de crédito, aumento da renda e queda na taxa de desemprego ocorridos entre 2003 e 2013. Em seguida, esses mesmos mercados seriam atingidos pela crise econômica, mas também transformados pela economia digital e pela pandemia. A diversidade da produção cultural, assim como a quantidade e a qualidade da sua produção tecnológica, também são vigorosas.

O mal-estar se encontra na impossibilidade de nos movermos na cidade, asfixiados pelas distâncias, pelo trânsito e pela poluição de automóveis, ônibus e caminhões. Está também inscrito em uma espécie de limite ambiental, com rios enclausurados e malcheirosos e os ciclos de excesso e falta de água. Está ainda na emergência habitacional agravada pela financeirização da moradia e pela perda de renda com a pandemia. Está na presença latente da violência, do racismo e da homofobia, que boicota no cotidiano as possibilidades de cidadania. Contra o mal-estar, entretanto, se criam micro e macroativismos: de defesa e cuidado com nascentes, de plantação de hortas urbanas, de iniciativas de reciclagem de lixo e compostagem, de construção de cozinhas solidárias, de auto-organização e solidariedade em ocupações no Centro e nas periferias.

Em 2020, pela primeira vez a cidade elegia três jovens negras como vereadoras pelo PSOL — Luana Alves, Erika Hilton e Elaine, da candidatura coletiva Quilombo Periférico. Oriundas das lutas antirracistas e movimentos culturais, da educação popular, do movimento LGBTQIA+ e feminista, elas fazem ressoar na Câmara Municipal tais vozes soprando ares de mudança.

Nesta cidade de quase quinhentos anos é visível a crise ambiental: do esgoto, que até agora a cidade não coleta e não trata integralmente — a Companhia de Saneamento Básico do Estado de São Paulo (Sabesp), maior empresa de saneamento da

América Latina, segundo ela mesma, trata menos de 40% do esgoto que recolhe na capital; da água, que em 2015 sumiu das torneiras; das enchentes, que continuam a invadir as ruas e casas em verões chuvosos; do lixo, que não se recicla.

Como vimos nos capítulos anteriores, ainda produzimos cidades sem urbanização prévia, o que nos condena a eternamente consolidar o precário, e não equacionamos a necessidade de uma infraestrutura de transporte metropolitano ampla, eficiente e acessível. Todos os dias, páginas e páginas dos jornais estão cobertas de lançamentos imobiliários. Quem vê pensa: finalmente todos os paulistanos terão onde morar; adeus, favelas e loteamentos precários em periferias distantes e em áreas de preservação. Será? Não é o que parece estar acontecendo: há muita pressão pelo aumento de potenciais de construção para permitir edifícios altos onde só existem casas, porém quase nenhuma oferta factível para os trabalhadores não bancarizados, aqueles para quem a moradia, mais do que um ativo ou patrimônio, é uma necessidade essencial da sobrevivência. Tais trabalhadores "insolventes" correspondem a nada menos do que 87% das necessidades de moradia da cidade.

A história de São Paulo que apresentamos até aqui tem a marca das decisões de política urbana tomadas em momentos-chave, com maior ou menor participação de seus moradores. Desde a oligarquia que administrou a cidade à sua imagem e semelhança até o pacto territorial que incluiu as massas urbanas no poder, mas excluindo-as de uma condição de cidadania plena, não há "problema" urbano ou marca urbanística em São Paulo que não esteja intimamente associado a decisões no âmbito de sua política urbana, mais ou menos explícitas por parte de seus governantes. Essas decisões evidentemente incidem sobre a cidade, mas também refletem movimentos econômicos, culturais e políticos protagonizados por sua população. No centro do debate sobre o destino da metrópole está, portanto, a questão do processo decisório, ou seja, quem — e como — participa das decisões tomadas hoje sobre seu futuro. Quem e como trará as respostas às perguntas que lançamos no início deste capítulo. A cidade superará o congestionamento e a poluição? Os alagamentos e a crise hídrica? Reaparecerão os empregos perdidos? Teremos paz nas ruas e serviços públicos de qualidade para todos? Sobreviverão e se multiplicarão os espaços públicos? Mulheres e negros poderão se apropriar plenamente da cidade? Triunfarão os espaços comuns? Ninguém mais terá que viver num barraco?

A cidade se reinventa a partir de sua trajetória, de seu legado. Legado das condições materiais da vida, mas também das culturas do viver que construíram o lugar. Na cidade artefato imobiliário, essas formas de viver já estão pré-codificadas e projetadas antes de serem habitadas. Mas, na maior parte da cidade, economias populares construíram a cidade enquanto já a estavam habitando, e o fizeram com seus meios, recursos e seus próprios repertórios. O legado é também político: o processo de produção da cidade, sua gestão e a criação do seu imaginário de futuro estão em permanente disputa: pelo lugar de hoje e pela perspectiva de amanhã. Crises são sempre momentos difíceis, mas também enormes oportunidades de reinvenção.

# Bibliografia


ADORNO, Sérgio; NERY, Marcelo Batista. "Crime e violências em São Paulo: retrospectiva teórico-metodológica, avanços, limites e perspectivas futuras". *Cadernos Metrópole*, v. 21, n. 44, São Paulo, 2019, pp. 169-94.

BAENINGER, Rosana (Org.). *Imigração Boliviana no Brasil*. Campinas: Núcleo de Estudos da População, 2012.

BASSANEZI, Maria Silvia; SCOTT, Ana Silvia Volpi; BACELLAR, Carlos de Almeida Prado; TRUZZI, Oswaldo Mário Serra. *Atlas da imigração internacional em São Paulo: 1850-1950*. São Paulo: Editora Unesp, 2008.

BARONE, Ana; RIOS, Flavia (Orgs.). *Negros nas cidades brasileiras (1890-1950)*. São Paulo: Intermeios, 2019.

BASTIDE, Roger; FERNANDES, Florestan. *Brancos e negros em São Paulo*. São Paulo: Global, 2008.

BÓGUS, Lúcia; PASTERNAK, Suzana (Orgs.). *São Paulo: transformações da ordem urbana*. Rio de Janeiro: Letra Capital, 2015.

BONDUKI, Nabil. *Origens da habitação social no Brasil*. São Paulo: Estação Liberdade, 1998.

CALDEIRA, Teresa. *A cidade dos muros: crime, segregação e cidadania em São Paulo*. São Paulo: Editora 34/Edusp, 2000.

CANO, Wilson. *Raízes da concentração industrial em São Paulo*. 5. ed. Campinas: IE-Unicamp, 2007.

DEAN, Warren. *A industrialização de São Paulo: 1880-1945*. São Paulo: Difusão Europeia do Livro, 1971.

DIAS, Maria Odila Leite da Silva. *Quotidiano e poder no século XIX*. São Paulo: Brasiliense, 1995.

FAUSTO, Boris. *Historiografia da imigração para São Paulo*. São Paulo: Sumaré/ Fapesp, 1991.

FELDMAN, Sarah. *São Paulo: Planejamento e zoneamento, 1947-1972*. São Paulo: Edusp, 2005.

FELTRAN, Gabriel de Santis. *Fronteiras de tensão: Política e violência nas periferias de São Paulo*. São Paulo: Editora Unesp/CEM, 2011.

FERREIRA, João. *O mito da cidade global: o papel da ideologia na produção do espaço urbano*. Petrópolis: Vozes, 2007.

FIX, Mariana. *Parceiros da exclusão: duas histórias da construção de uma "nova cidade" em São Paulo: Faria Lima e Água Espraiada*. São Paulo: Boitempo, 2001.

______. *São Paulo cidade global: Fundamentos financeiros de uma miragem*. São Paulo: Boitempo, 2007.

HANCHARD, Michael. *Orfeu e Poder: movimento Negro no Rio e São Paulo*. Rio de Janeiro: Editora UERJ, 2001.

HOLSTON, James. *Cidadania insurgente: disjunções da democracia e da modernidade no Brasil*. São Paulo: Companhia das Letras, 2013.

HOMEM, Maria Cecília Naclério. *O Palacete paulistano e outras formas urbanas de morar da elite cafeeira: 1867-1918*. São Paulo: Martins Fontes, 1996.

JESUS, Carolina Maria de. *Quarto de despejo: diário de uma favelada*. São Paulo: Francisco Alves, 1960.

KOWARICK, Lúcio (Org.). *As lutas sociais e a cidade: São Paulo, passado e presente*. São Paulo: Paz e Terra, 1988.

LANNA, Ana Lúcia Duarte; PEIXOTO, Fernanda Arêas; LIRA, José Tavares Correia de; SAMPAIO, Maria Ruth Amaral de (Orgs.). *São Paulo, os estrangeiros e a construção das cidades*. São Paulo: Alameda, 2011.

MARICATO, Ermínia (Org.). *A produção capitalista da casa (e da cidade) no Brasil industrial*. São Paulo: Alfa Ômega, 1979.

______. *Política habitacional no regime militar: do milagre brasileiro à crise econômica*. Petrópolis: Vozes, 1987.

______. *Metrópole na periferia do capitalismo: ilegalidade, desigualdade e violência*. São Paulo: Hucitec, 1996.

MARQUES, Eduardo; TORRES, Haroldo (Orgs.). *São Paulo: segregação, pobreza e desigualdades sociais*. São Paulo: Senac, 2005.

MARQUES, Eduardo (Org.). *As políticas do urbano em São Paulo*. São Paulo: Editora Unesp/CEM, 2018.

MORSE, Richard. *Formação histórica de São Paulo*. São Paulo: Difusão Europeia do Livro, 1970.

PASTERNAK, Suzana; D'OTTAVIANO, Camila. "Favelas no Brasil e em São Paulo: avanços nas análises a partir da Leitura territorial do Censo de 2010". *Cadernos Metrópole*, v. 18, n. 35, São Paulo, 2016, pp. 75-99.

PEREIRA, Paulo Cesar Xavier (Org.). *Imediato, global e total na produção do espaço: a financeirização da cidade de São Paulo no século XXI*. São Paulo: FAU-USP, 2018.

PORTA, Paula. *História da cidade de São Paulo*. São Paulo: Paz e Terra, 2004.

PRADO JUNIOR, Caio. *A cidade de São Paulo: geografia e história*. São Paulo: Brasiliense, 1989.

REIS, Nestor. *São Paulo: Vila, cidade, metrópole*. São Paulo: Takano, 2004.

ROLNIK, Raquel. "Territórios Negros: etnicidade e cidade em São Paulo e Rio de Janeiro". *Revista de Estudos Afro-Asiáticos*, 17, Rio de Janeiro, 1989, pp. 29-41.

______. *A cidade e a lei: legislação, política urbana e territórios na cidade de São Paulo*. São Paulo: Studio Nobel/Fapesp 1997.

______. *Territórios em conflito. São Paulo: espaço, história e política*. São Paulo: Três Estrelas, 2017.

ROLNIK, Raquel; SOMEKH, Nádia; KOWARICK, Lúcio (Orgs.). *São Paulo: crise e mudança*. São Paulo: Brasiliense, 1990.

SANTOS, Carlos José Ferreira dos. *Nem tudo era italiano: São Paulo e pobreza 1890-1915*. São Paulo: Annablume; Fapesp, 2003.

SEVCENKO, Nicolau. *Orfeu extático na metrópole: São Paulo, sociedade e cultura nos frementes anos 20*. São Paulo: Companhia das Letras, 1992.

SEWAGA, Hugo. *Arquiteturas no Brasil: 1900-1990*. São Paulo: Edusp, 1999.

SINGER, Paul. *Economia política da urbanização*. São Paulo: Contexto, 1973.

SOUZA, Maria Adélia Aparecida de; LINS, Sonia Correia; SANTOS, Maria do Pilar Costa; SANTOS, Murilo da Costa. *Metrópole e globalização: conhecendo a cidade de São Paulo*. São Paulo: Cedesp, 1999.

SPOSATI, Aldaíza de Oliveira (Org.). *Mapa de exclusão/inclusão social da cidade de São Paulo*. São Paulo: Educ, 1996.

TASCHNER, Suzana; BÓGUS, Lúcia. "A cidade dos anéis: São Paulo". In: RIBEIRO, Luiz Cesar de Queiroz (Org.). *Futuro das metrópoles: desigualdades e governabilidade*. Rio de Janeiro: Revan/Fase, 2000, pp. 247-84.

TOLEDO, Benedito Lima de. *São Paulo: três cidades em um século*. São Paulo: Livraria Duas Cidades, 1981.

VILLAÇA, Flávio. *Espaço intraurbano no Brasil*. São Paulo: Studio Nobel/Fapesp/Lincoln Institute, 1998.

XAVIER, Alberto Lemos; CERQUEIRA, Carlos Alberto; CORONA, Eduardo (Orgs.). *Arquitetura moderna paulistana*. São Paulo: Romano Guerra, 1983.

# Lista de prefeitos da cidade de São Paulo: 1899-2021

**Janeiro de 1899 a janeiro de 1911** — Antônio da Silva Prado — Partido Republicano Paulista (PRP)

**Janeiro de 1911 a janeiro de 1914** — Raymundo da Silva Duprat — Partido Republicano Paulista (PRP)

**Janeiro de 1914 a agosto de 1919** — Washington Luís Pereira de Sousa — Partido Republicano Paulista (PRP)

**Agosto de 1919 a janeiro de 1920** — Álvaro Gomes da Rocha Azevedo — Partido Republicano Paulista (PRP)

**Janeiro de 1920 a janeiro de 1926** — Firmiano de Morais Pinto — Partido Republicano Paulista (PRP)

**Janeiro de 1926 a outubro de 1930** — José Pires do Rio — Partido Republicano Paulista (PRP)

**Outubro de 1930 a dezembro de 1930** — José Joaquim Cardoso de Melo Neto — Partido Democrático (PD)

**Dezembro de 1930 a julho de 1931** — Luís Inácio Romeiro de Anhaia Melo — Partido Democrático (PD)

**Julho de 1931 a novembro de 1931** — Francisco Machado de Campos — Partido Democrático (PD)

**Novembro de 1931 a dezembro de 1931** — Luís Inácio Romeiro de Anhaia Melo — Partido Democrático (PD)

**Dezembro de 1931 a maio de 1932** — Henrique Jorge Guedes — Partido Republicano Paulista (PRP)

**Maio de 1932 a outubro de 1932** — Gofredo Teixeira da Silva Teles — Partido Republicano Paulista (PRP)

**Outubro de 1932 a dezembro de 1932** — Arthur Saboya — Sem partido

**Dezembro de 1932 a abril de 1933** — Teodoro Augusto Ramos — Sem partido

**Abril de 1933 a maio de 1933** — Arthur Saboya — Sem partido

**Maio de 1933 a julho de 1933** — Osvaldo Gomes da Costa — Sem partido

**Julho de 1933 a agosto de 1933** — Carlos dos Santos Gomes — Sem partido

**Agosto de 1933 a setembro de 1934** — Antônio Carlos de Assumpção — Sem partido

**Setembro de 1934 a abril de 1938** — Fábio da Silva Prado — Suspensão dos partidos políticos pelo Decreto-lei nº 37

**Abril de 1938 a outubro de 1945** — Francisco Prestes Maia — Suspensão dos partidos políticos pelo Decreto-lei nº 37

**Novembro de 1945 a março de 1947** — Abraão Ribeiro — Sem partido

**Março de 1947 a agosto de 1947** — Cristiano Stockler das Neves — Partido Social Progressista (PSP)

**Agosto de 1947 a agosto de 1948** — Paulo Lauro — Partido Social Progressista (PSP)

**Agosto de 1948 a janeiro de 1949** — Milton Improta — Sem partido

**Janeiro de 1949 a fevereiro de 1950** — Asdrúbal Euritisses da Cunha — Partido Social Progressista (PSP)

**Fevereiro de 1950 a fevereiro de 1951** — Lineu Prestes — Partido Social Progressista (PSP)

**Fevereiro de 1951 a abril de 1953** — Armando de Arruda Pereira — Partido Social Progressista (PSP)

**Abril de 1953 a janeiro de 1955** — Jânio da Silva Quadros — Partido Democrata Cristão (PDC)

**Janeiro de 1955 a junho de 1955** — William Salem — Partido Social Progressista (PSP)

**Junho de 1955 a abril de 1956** — Juvenal Lino de Matos — Partido Social Progressista (PSP)

**Abril de 1956 a abril de 1957** — Vladimir de Toledo Piza — Partido Trabalhista Brasileiro (PTB)

**Abril de 1957 a abril de 1961** — Ademar Pereira de Barros — Partido Social Progressista (PSP)

**Abril de 1961 a abril de 1965** — Francisco Prestes Maia — União Democrática Nacional (UDN)

**Abril de 1965 a abril de 1969** — José Vicente de Faria Lima — Movimento Trabalhista Renovador (MTR) até 1965, depois Aliança Renovadora Nacional (Arena)

**Abril de 1969 a abril de 1971** — Paulo Salim Maluf — Aliança Renovadora Nacional (Arena)

**Abril de 1971 a agosto de 1973** — José Carlos de Figueiredo Ferraz — Sem partido

**Agosto de 1973** — João Brasil Vita — Aliança Renovadora Nacional (Arena)

**Agosto de 1973 a agosto de 1975** — Miguel Colasuonno — Aliança Renovadora Nacional (Arena)

**Agosto de 1975 a julho de 1979** — Olavo Egydio Setúbal — Aliança Renovadora Nacional (Arena)

**Julho de 1979 a maio de 1982** — Reynaldo Emygdio de Barros — Aliança Renovadora Nacional (Arena) até 1980, depois Partido Democrático Social (PDS)

**Maio de 1982 a março de 1983** — Antônio Salim Curiati — Partido Democrático Social (PDS)

**Março de 1983 a maio de 1983** — Francisco Altino Lima — Partido do Movimento Democrático Brasileiro (PMDB)

**Maio de 1983 a dezembro de 1985** — Mário Covas Júnior — Partido do Movimento Democrático Brasileiro (PMDB)

**Janeiro de 1986 a dezembro de 1988** — Jânio da Silva Quadros — Partido Trabalhista Brasileiro (PTB)

**Janeiro de 1989 a janeiro de 1993** — Luiza Erundina de Sousa — Partido dos Trabalhadores (PT)

**Janeiro de 1993 a janeiro de 1997** — Paulo Salim Maluf — Partido Progressista Reformador (PPR), depois Partido Progressista Brasileiro (PPB)

**Janeiro de 1997 a janeiro de 2001** — Celso Roberto Pitta do Nascimento — Partido Progressista Brasileiro (PPB) até 1999, depois Partido Trabalhista Nacional (PTN)

**Janeiro de 2001 a janeiro de 2005** — Marta Teresa Suplicy — Partido dos Trabalhadores (PT)

**Janeiro de 2005 a março de 2006** — José Serra Chirico — Partido da Social Democracia Brasileira (PSDB)

**Março de 2006 a janeiro de 2013** — Gilberto Kassab — Partido da Frente Liberal (PFL) até 2007, Democratas (DEM) entre 2007 e 2011, depois Partido Social Democrático (PSD)

**Janeiro de 2013 a janeiro de 2017** — Fernando Haddad — Partido dos Trabalhadores (PT)

**Janeiro de 2017 a abril de 2018** — João Agripino da Costa Dória Júnior — Partido da Social Democracia Brasileira (PSDB)

**Abril de 2018 a maio de 2021** — Bruno Covas Lopes — Partido da Social Democracia Brasileira (PSDB)

**Maio de 2021 até a data de edição deste livro** — Ricardo Luís Reis Nunes — Movimento Democrático Brasileiro (MDB)

# Índice remissivo

MISTO
Papel | Apoiando o manejo florestal responsável
FSC® C011095

A marca FSC® é a garantia de que a madeira utilizada na fabricação do papel deste livro provém de florestas gerenciadas de maneira ambientalmente correta, socialmente justa e economicamente viável e de outras fontes de origem controlada.

Copyright © Raquel Rolnik, 2022
Copyright do prefácio © Editora Fósforo, 2022

Todos os direitos reservados. Nenhuma parte desta obra pode ser reproduzida, arquivada ou transmitida de nenhuma forma ou por nenhum meio sem a permissão expressa e por escrito da Editora Fósforo.

**EDITORA** Rita Mattar
**ASSISTENTE EDITORIAL** Cristiane Alves Avelar
**PREPARAÇÃO E REVISÃO TÉCNICA** Joana Salém Vasconcelos
**REVISÃO** Luicy Caetano e Eduardo Russo
**ÍNDICE REMISSIVO** Maria Claudia Carvalho Mattos
**DIREÇÃO DE ARTE** Julia Monteiro
**CAPA** Thea Severino
**IMAGEM DA CAPA** Irene Avramelos
**MAPAS E INFOGRÁFICOS** Mario Kanno
**FONTES DOS MAPAS** pp. 38-9 (Raquel Rolnik, *A cidade e a lei*, ver Bibliografia), p. 47 (Plano Avenidas), p. 53 (elaboração própria, a partir da base de dados da Cogep e da Emplasa), p. 62 (Sarah Feldman, *São Paulo: Planejamento e zoneamento, 1947-1972*, ver Bibliografia)
**PROJETO GRÁFICO** Alles Blau
**EDITORAÇÃO ELETRÔNICA** Página Viva

Dados Internacionais de Catalogação na Publicação (CIP)
(Câmara Brasileira do Livro, SP, Brasil)

Rolnik, Raquel
São Paulo : O planejamento da desigualdade / Raquel Rolnik. — São Paulo : Fósforo, 2022.

Bibliografia.
ISBN: 978-65-89733-53-9

1. Desigualdades sociais — São Paulo, Região Metropolitana 2. São Paulo (Cidade) — Condições sociais 3. São Paulo (Cidade) — Descrição 4. São Paulo (Cidade) — História 5. São Paulo (Cidade) — Planejamento urbano I. Título.

21-94062 CDD – 981.611

Índice para catálogo sistemático:
1. São Paulo : Cidade : História 981.611

Cibele Maria Dias — Bibliotecária — CRB/8-9427

1ª edição
1ª reimpressão, 2022

Editora Fósforo
Rua 24 de Maio, 270/276, 10º andar, salas 1 e 2 — República
01041-001 — São Paulo, SP, Brasil — Tel: (11) 3224.2055
contato@fosforoeditora.com.br / www.fosforoeditora.com.br

Este livro foi composto em GT Alpina
e GT Flexa e impresso pela Ipsis em papel
Pólen Bold 90 g/m² da Suzano para a
Editora Fósforo em outubro de 2022.